ANNE-MARIE DESSERTINE

DANS LA MÊME COLLECTION

Jean-Paul Allaux : **Le Cœur en forme !**
Dr Jacques Amoyel : **La Médecine manuelle.**
Dr Léon Bence et Max Méreaux : **Guide pratique de musicothérapie.**
Louis de Brouwer : **L'Art de rester jeune.**
Daniel Chernet : **Les Protéines végétales.**
Jean-Luc Darrigol : **Le Miel pour votre santé.**
Jean-Luc Darrigol : **Les Céréales pour votre santé.**
Jean-Luc Darrigol : **Traitements naturels de la constipation.**
Jean-Luc Darrigol : **Santé et beauté de vos cheveux.**
Dr Louis Donnet : **Les Aimants pour votre santé.**
Gérard Edde : **Manuel pratique de digitopuncture.**
Gérard Edde : **Les Couleurs pour votre santé.**
Gérard Edde : **Ginseng et plantes toniques.**
Gérard Edde : **La Médecine ayur-védique.**
Georges Faure : **Les Métaux pour votre santé.**
Georges Faure : **Les Relaxations sensorielles.**
Louis Faurobert : **Vos enfants en pleine forme !**
Louis Faurobert : **En forme après 60 ans.**
Louis Faurobert : **Jeune et belle après 40 ans !**
Pierre Fluchaire : **Bien dormir pour mieux vivre.**
Henri-Charles Geffroy : **L'Alimentation saine.**
Vincent Gerbe : **Votre potager biologique.**
Vincent Gerbe : **Initiation au végétarisme.**
Drs Gérard Katz et Alain Maurin : **Santé et thermalisme.**
Jean-Pierre Krasensky : **Massage réflexe des pieds.**
José Lefort : **Traitements naturels de la douleur.**
Dr Jean Léger : **Hygiène et santé des dents.**
Dr René Lacroix : **Savoir respirer pour mieux vivre.**
B. Legrais et G. Altenbach : **Santé et cosmotellurisme.**
Dr Francis Lizon : **L'Homéopathie pour le chien, le chat et le cheval.**
Thierry Loussouarn : **Initiation au Yoga.**
Dr J.-C. Marchina : **Santé et beauté de votre peau.**
Désiré Mérien : **Les Clefs de la nutrition.**
Désiré Mérien : **Les Clefs de la revitalisation.**
Désiré Mérien : **Caractère, forme et santé.**
Jacques Mittler : **Introduction à la macrobiotique.**
Gilles Orgeret : **Mon dos... une histoire d'amour !**
Dr André Passebecq : **L'Argile pour votre santé.**
Dr André Passebecq : **La Santé de vos yeux.**
Dr André Passebecq : **Traitements naturels des affections respiratoires.**
Dr André Passebecq : **Traitements naturels des affections circulatoires.**
Dr André Passebecq : **Traitements naturels des troubles digestifs.**
Dr André Passebecq : **Rhumatismes et arthrites ; traitements naturels.**
Dr André Passebecq : **Maladies des reins, vessie, prostate.**
Dr André Passebecq : **Maladies des oreilles et surdité.**
Dr Jean-Louis Poupy : **Manuel pratique de moxibustion.**
Martine Rigaudier : **330 Recettes végétariennes.**
Martine Rigaudier : **Recettes et menus végétariens pour les 4 saisons.**
Guy Roulier : **La Santé au féminin.**
André Roux : **Introduction à l'iridologie.**
Dr J.-E. Ruffier : **Gymnastique quotidienne.**
Dr J.-E. Ruffier : **Traité pratique de massage.**
Alain Saury : **Manuel diététique des fruits et légumes.**
Alain Saury : **Les Huiles végétales d'alimentation.**
Joël Savatofski : **Le Massage douceur.**
Jean de Sillé : **Des plantes pour vous guérir.**
Jean de Sillé : **Des aromates pour vous guérir.**
Nicole Walthert : **La Marche, source de santé.**

les couleurs pour votre santé

collection

santé naturelle

AUTRES OUVRAGES DU MÊME AUTEUR

Manuel pratique de digitopuncture (Éditions Dangles).
Les Couleurs pour votre santé (Éditions Dangles).
Ginseng et plantes toniques (Éditions Dangles).
La médecine ayur-védique (Éditions Dangles).
Pratique des massages chinois (Le Courrier du Livre).
Chi-Kong ; les exercices chinois de santé (Presses de la Cité).
La Médecine chinoise : diététique et phytothérapie (Éditions Garancière).
Le Tao de la santé (Éditions L'Originel).
La Chambre jaune (Éditions L'Originel).
Les Secrets chinois de longue vie (Éditions Encre).
Chakras et santé (Éditions L'Originel).
La Voie des plantes (Éditions Encre).
Traité d'Ayurveda (Éditions Guy Trédaniel).
Santé et habitat selon les traditions chinoises du Feng Shui (Albin Michel).

Gérard EDDE

les couleurs pour votre santé

Méthode pratique de chromothérapie

(Utilisation des propriétés thérapeutiques des couleurs)

44e mille

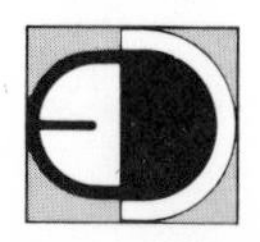

Editions DANGLES
18, rue Lavoisier
45800 ST JEAN DE BRAYE

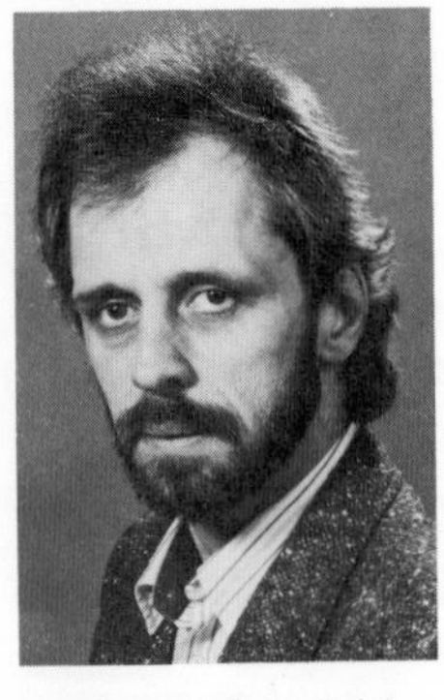

L'AUTEUR :

Né en 1947, Gérard Edde s'est entièrement axé vers les méthodes naturelles de santé, surtout celles d'origine chinoise. De nombreux voyages professionnels en Asie du Sud-Est lui ont permis de découvrir l'ensemble des méthodes thérapeutiques orientales, tant par l'acupuncture que par l'alimentation naturelle, la phytothérapie et les exercices de santé. Il a complété sa formation avec plusieurs grands professeurs orientaux : les docteurs Vasant Lad et Trivédi pour l'Ayur-Veda, le docteur Lu pour la thérapie chinoise et le lama-médecin Trogawa Rimpoche pour la médecine tibétaine. Ces dernières années, il a également rencontré les plus grands chercheurs en médecine traditionnelle, tels le docteur Bhagwan Dash (Inde), le docteur Motoyama (Japon) et le docteur Wu Wei Ping (Chine).
Gérard Edde est diplômé du North American College of Chinese herbalism et du North American College of Chinese manipulative therapy (Vancouver), de la Chiansi University (Taiwan) et membre de la North American association of acupuncture (Chicago). Au sein de plusieurs associations, il enseigne les thérapies orientales au public français, par des stages, cours et cassettes. Auteur de plusieurs ouvrages à succès, Gérard Edde s'applique à restituer ces enseignements orientaux millénaires d'une façon applicable en Occident, mais sans en perdre le contenu essentiel sous prétexte de « vulgarisation ».

ISSN : 0180-8818
ISBN : 2-7033-0237-1

« Dans ce monde d'illusion, rien n'est tangible. L'univers est comme un arc-en-ciel de couleurs. Elles semblent exister, mais lorsque vous vous rapprochez de l'arc-en-ciel, elles disparaissent... L'univers ressemble à un arc-en-ciel, et c'en est UN. »

Bhagwan Shree Rajneesh
(*The Book of Secrets,* vol. III)

INTRODUCTION

De l'énergie à la matière

1. La médecine hollistique : celle de l'être total

« L'homme doit harmoniser l'esprit et le corps »
(Hippocrate)

Il est incontestable que l'homme, de son propre chef, se tourne maintenant vers les médecines naturelles, déçu non point tant par les résultats que par la méthode souvent brutale et anonyme des médecines officielles. La médecine naturelle — et en particulier la méthode de santé par les couleurs — plonge ses racines dans la nuit des temps et des civilisations : médecine indienne ayur-védique, médecine traditionnelle chinoise, médecine hippocratique, médecine druidique, égyptienne, iranienne, chamanique, etc. Un facteur commun se dresse au milieu de ces méthodes de santé : **la conception que l'esprit et le corps, l'énergie et la matière sont en étroite connexion et influent mutuellement l'un sur l'autre.** Ainsi, toute thérapeutique doit agir de façon à harmoniser le mental et le corps dans un véritable travail psychosomatique qu'Hippocrate décrivait ainsi : « *préserver le malade du danger et de l'injustice* ».

Des milliers d'années avant les découvertes d'Einstein sur la relativité, l'homme « savait » déjà l'interaction de l'énergie de la matière. Toutes les traditions anciennes et les médecines naturelles plus récentes (homéopathie, radionique...) reconnaissent une force active de liaison entre la pensée et le corps : **l'énergie vitale.**

Cette énergie est citée par les anciens thérapeutes sous différentes appellations :

— le prâna des hindous ;
— le chi des Chinois ;
— le ga-llama des Tibétains ;
— le « feu central » de Pythagore ;
— la force odique des druides ;
— la chaleur intérieure d'Hippocrate ;
— le magnétisme animal de Mesmer ;
— la bio-énergie de Wilhelm Reich.

2. La chromothérapie : la santé par les couleurs

Toute la vie sur terre dépend du soleil et de sa lumière. Tous les cycles vitaux, tels que le sommeil et l'activité, dépendent du cycle de la lumière. Toute la biochimie du corps dépend de la lumière. Le chapitre suivant expliquera l'importance du spectre de la lumière sur notre vie et de son utilisation dès la plus haute Antiquité : héliothérapie, chromothérapie, diagnostic par les couleurs...

En 1665, le physicien Newton découvrit que la lumière blanche se décomposait en sept couleurs fondamentales en traversant un prisme triangulaire. Ces sept couleurs correspondent à des vibrations différentes du spectre lumineux. Nous continuons cependant à ignorer que les couleurs font partie intégrante de notre environnement et qu'elles affectent notre comportement. En homéopathie, nous savons déjà que les doses infinitésimales se révèlent parfois plus efficaces que les extraits purs de certains médicaments (1) ; de la même façon, les couleurs agissent à un niveau subtil sur notre être. Plus récemment, des recherches scientifiques ont été menées par *l'Environmental light and health Institute* de Sarasota (Floride) sur les effets des couleurs spectrales sur la vie humaine et animale (voir chapitre suivant). Que nous le croyions ou non, quel que soit notre scepticisme, les couleurs ont une influence fondamentale sur notre énergie. Dans ce manuel, j'ai tenté de synthétiser les meilleures méthodes de santé par les couleurs : comment se vêtir, comment intégrer les couleurs à notre environnement, à notre nourriture et surtout comment aider la guérison à l'aide de la chromothérapie.

3. Questions sur la chromothérapie

Q. *La chromothérapie est-elle vraiment efficace ?*

R. Qu'entendez-vous par efficace ? L'aspirine est-elle efficace contre le mal de tête ? L'aspirine guérit-elle vraiment la migraine et apporte-t-elle autre chose qu'un soulagement immédiat ? La médecine naturelle ne s'attaque pas aux symptômes, elle cherche au contraire à faire prendre conscience au malade de sa situation afin que celui-ci réagisse, se prenne en charge et reconnaisse de lui-même les causes qui ont permis à la maladie de s'installer. Dans ces conditions, il est alors possible d'être réceptif aux causes qui vont permettre le retour de la santé. La chromothérapie fait partie de ces possibilités et, bien

1. Voir l'ouvrage du docteur Claude Binet : *L'Homéopathie pratique* (Editions Dangles).

que trop méconnue, ses applications thérapeutiques sont immenses.

Q. *Quelle est la place de la chromothérapie dans les méthodes naturelles ?*

R. C'est une question qui fait intervenir l'espace et le temps. Dans l'Antiquité, il est certain que la chromothérapie et l'héliothérapie (thérapie par les rayons solaires) ont joué un rôle important, en particulier dans les médecines traditionnelles de l'Inde, de la Chine et de la Grèce. Actuellement la situation est bien différente ; les pays occidentaux où la chromothérapie semble vraiment bien implantée sont les Etats-Unis et la Grande-Bretagne, ainsi que dans les cabinets de certains homéopathes indiens. Mais le but de ce manuel est bien différent : il s'agit d'exposer les **méthodes simples qui peuvent être pratiquées par chacun, chez soi, sans équipement coûteux.**

La chromothérapie tient une place royale au sein d'autres méthodes hollistiques : homéopathie, musicothérapie, massages énergétiques, herboristerie, radionique, etc.

Q. *Peut-on vraiment utiliser les couleurs chez soi sans une grande connaissance de leurs effets ?*

R. Ce livre est conçu pour cela. Point n'est besoin d'un équipement sophistiqué ; le chapitre III vous montrera comment vous traiter à moindre frais avec les couleurs. Vous pouvez aussi utiliser les couleurs dans votre environnement quotidien : vêtements, tapisseries, tentures, bijoux, bains de soleil, bouteilles teintées, etc. Ces méthodes sont bien entendu moins rapides que la technique de chromothérapie par lampe colorée.

Q. *Existe-t-il des risques d'irradiation avec l'utilisation de faisceaux lumineux colorés ?*

R. Absolument pas. Contrairement aux rayons ultraviolets ou infrarouges, les faisceaux teintés ne déclenchent aucune réaction dangereuse quelle que soit la durée d'exposition. Tout au plus risque-t-on un résultat décevant du traitement en employant des couleurs inadéquates.

Q. *Où peut-on recevoir des soins dans un cabinet de chromothérapie ?*

R. Malheureusement, à notre connaissance, il n'existe pas de cabinet en France appliquant la chromothérapie comme technique majeure de soins. Tout au plus certains établissements de relaxation et de yoga utilisent-ils les couleurs dans un but de détente psycho-sensorielle. Le but de ce livre est d'apporter la possibilité à chacun d'utiliser les couleurs afin de multiplier les chances de guérison.

Q. *La chromothérapie est-elle une méthode de guérison ésotérique ?*

R. Si pour vous le terme ésotérique signifie réservé à certains « initiés », la chromothérapie n'est absolument pas ésotérique, puisque ses lois sont connues et que chacun peut donc profiter de ses bienfaits. Par contre, il est certain que de nombreuses organisations ésotériques et spirituelles se sont penchées sur cette méthode de guérison semblant en accord avec leurs principes : rosicruciens, théosophes, druides, etc. Cela ne doit pas nous faire oublier que la chromothérapie peut devenir une méthode très populaire.

CHAPITRE I

Étude générale des couleurs

1. La lumière et les couleurs

Comme le disait très justement le philosophe allemand Goethe : « *La lumière et les couleurs se trouvent entre elles dans un rapport très précis.* »

Bien sûr, le phénomène de la couleur et de la lumière ne peut être perçu sans les yeux, ce qui nous amène à nous poser des questions à la limite de l'absurde, proches de celles qu'utilisaient les adeptes du Zen :

— La couleur rouge est-elle *dans* le coquelicot ?

— Ou, comme le prétend le physicien, émane-t-elle de la réflexion de la lumière ?

— Le physiologiste dira que la couleur n'est perçue que grâce aux dégradations biochimiques de certaines cellules du fond de l'œil.

— Le philosophe védantiste doutera même de l'existence de la rose : n'est-elle pas un produit de notre mental ?

— L'artiste peintre y verra des nuances que le psychologue qualifiera de subjectives !

Nous allons tenter de nous y retrouver dans ce dédale de points de vue, en partant de conceptions matérialistes et scientifiques, sans pour cela considérer celles-ci comme les plus importantes pour la pratique, comme nous le verrons par la suite.

Nous l'avons déjà dit plus haut, le physicien Isaac Newton (1643-1727), en décomposant un rayon solaire à l'aide d'un prisme transparent, prouva que la lumière solaire se compose d'un mélange de radiations colorées de longueurs d'ondes différentes. Il dénombra sept couleurs de base qui se suivent dans un ordre invariable :

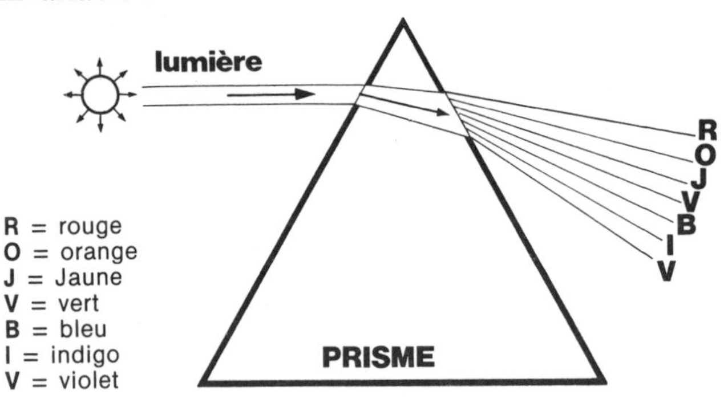

Les radiations de courte longueur d'onde (violet, indigo, bleu) sont plus fortement réfractées que celles des grandes longueurs d'ondes (orangé et rouge). Les rayons les mieux réfractés sont en haut, les moins bien réfractés en bas.

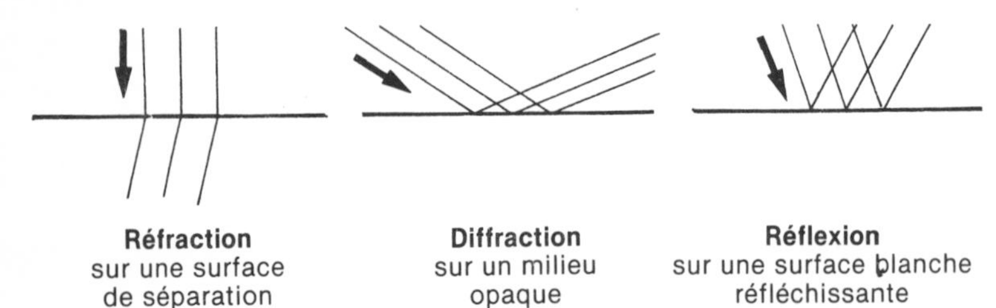

L'expérience inverse est possible : recréer la lumière blanche grâce aux couleurs. Si vous avez déjà joué avec une toupie colorée des tons de l'arc-en-ciel, vous savez qu'à grande vitesse la toupie prend une couleur blanche.

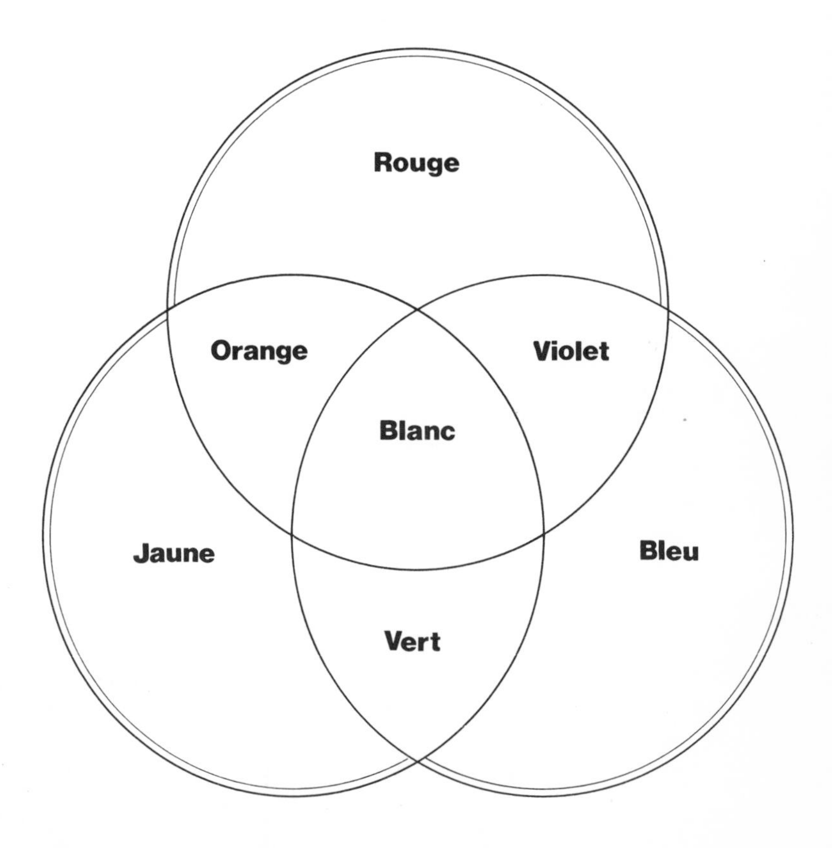

Dans la physique moderne, les couleurs représentent seulement une petite portion du spectre des radiations électromagnétiques dont on a mesuré les longueurs d'ondes en angströms.

COMPOSITION DES COULEURS
Primaires : — Rouge — Vert — Violet
Secondaires : — Jaune = 1/2 rouge + 1/2 vert — Bleu = 1/2 vert + 1/2 violet — Magenta = 1/2 violet + 1/2 rouge
Tertiaires : — Orange = 1,5 rouge + 1/2 vert — Citron = 1,5 vert + 1/2 rouge — Turquoise = 1,5 vert + 1/2 violet — Indigo = 1,5 violet + 1/2 vert — Pourpre = 1 violet + 1/2 rouge + 1/2 vert — Ecarlate = 1 rouge + 1/2 violet + 1/2 vert

2. Le spectre électromagnétique

Les tableaux suivants vont vous permettre de comprendre la succession des différentes longueurs d'ondes du spectre électromagnétique. L'échelle des ondes commence avec les plus petites fréquences connues (celles des rayons cosmiques) et se termine par les longueurs d'ondes émises par les stations de radio et les ondes électriques produites par les générateurs. Le spectre de la lumière visible ne représente qu'une bande étroite du spectre électromagnétique global.

L'unité de mesure utilisée pour décrire la longueur d'onde des couleurs visibles est l'angström ; cette unité de mesure très

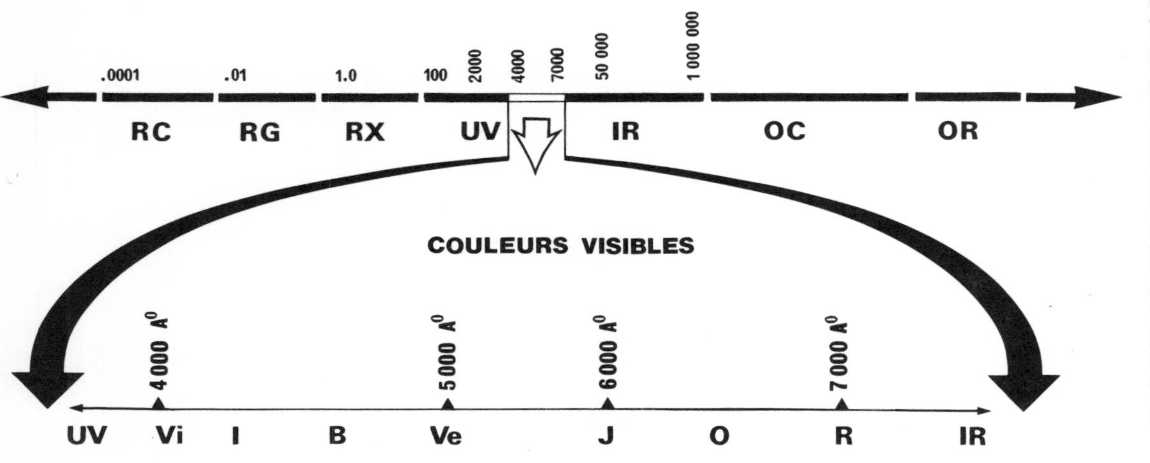

LA LONGUEUR D'ONDE (en angströms)

En haut : **la longueur d'onde dans sa totalité.**
RC : rayons cosmiques. RG : rayons gamma. RX : rayons X. UV : ultraviolets.
IR : infrarouges. OC : ondes courtes. OR : ondes radio.
En bas : **la longueur d'onde du spectre visible.**
UV : ultraviolets. Vi : violet. I : indigo. B : bleu. Ve : vert. J : jaune. O : orange.
R : rouge. IR : infrarouges.

utilisée en optique nous fait entrer dans le domaine de l'infiniment petit, puisqu'elle représente le dix billionième d'un mètre !

La lumière solaire occupe une large place du spectre visible, dont les couleurs bleues et vertes occupent le centre. L'ultraviolet constitue la limite du spectre de la lumière solaire qui s'arrête à 3 000 angströms du fait de l'effet filtrant de l'atmosphère terrestre.

La lumière incandescente dégagée par une lampe électrique ordinaire ne contient pratiquement pas de rayons ultraviolets, mais dégage de nombreux infrarouges invisibles à nos yeux mais décelables par le dégagement de chaleur qui les accompagne. Par contre, les lampes fluorescentes dégagent une onde appartenant à l'ultraviolet, le fonctionnement de ces lampes s'effectuant grâce à une combinaison de vapeur de mercure et d'un gaz rare : l'argon. Retenons que parmi les lampes artificielles, celles à incandescence émettent des ondes infrarouges et de la lumière visible dont le sommet se situe vers le bleu, et que celles à fluorescence émettent des ultraviolets et beaucoup de rayonnements visibles dans le jaune orangé.

Comme nous le constatons, l'ultraviolet et l'infrarouge entourent le spectre de la lumière visible. Notons au passage que la science reconnaît le grand pouvoir sur le corps de ces deux types de rayonnement et que des systèmes modernes de soins utilisent les rayons X et les ondes radio.

Dans les couleurs, trois sont nommées fondamentales : le **bleu**, le **jaune** et le **rouge.** A partir de celles-ci, il est possible par des combinaisons de former les couleurs complémentaires : le **violet**, le **vert** et l'**orange.** La dernière couleur, l'**indigo**, est appelée intermédiaire.

Par contre, d'après certaines échelles de couleurs, l'homme serait capable de distinguer plus de sept cents nuances dans les couleurs ! Les combinaisons les plus simples sont connues de tous :

Blanc + noir = gris.
Rouge + noir = marron.
Blanc + rouge = rose.
Blanc + violet = mauve.
Rouge + violet = pourpre.
Bleu + vert = turquoise.
Etc.

3. Comment les couleurs guérissent-elles ?

La question qui se pose maintenant est celle-ci : comment les couleurs guérissent-elles ? Nous ne prétendons pas donner une réponse absolue ni définitive. Voici les théories contemporaines les plus dignes de foi :

Docteur Ghadioli : la couleur rouge favorise le métabolisme et stimule le foie. Au contraire, la couleur violette calme le métabolisme et stimule la rate. Chaque autre couleur prend sa place au milieu de ces deux antagonistes. L'action de ces couleurs a un effet réflexe sur les tissus et les nerfs de la peau.

Docteur Babbitt : les différentes couleurs représentent des énergies transmissibles au niveau du corps subtil de l'homme (aura) dont le corps peut avoir besoin. Cette théorie reprend les conceptions traditionnelles de la médecine indienne.

Docteur Mac Naughton : « *Nous ne voyons pas les vraies couleurs... mais nous ressentons les effets de leurs vibrations sur nos mécanismes biologiques.* »

Seule la théorie photoélectrique d'Einstein pourrait permettre d'échafauder une théorie scientifique de la chromothérapie, mais les données ne sont pas encore découvertes ! Par contre, des expériences scientifiques diverses prouvent l'action des couleurs sur l'être vivant :

Expérience du docteur Jules Régnault : un verre rouge mis devant un œil déclenche une augmentation ou une diminution du pouls suivant l'œil choisi.

Expérience de Rife : la projection de rayons colorés sur des micro-organismes (bactéries et virus) provoque un changement de couleur de ces organismes observables au microscope universel de Rife.

Expérience de Ott : en 1975, un important institut de recherche sur le cancer de Buffalo (U.S.A.) accorde des crédits importants à Ott pour étudier les effets des couleurs sur l'évolution des tumeurs cancéreuses.

Expérience du docteur Lucey : ce médecin de l'université du Vermont (U.S.A.) a établi une méthode efficace de projection de lumière colorée en bleu/violet sur les enfants atteints de jaunisse à la naissance.

Expérience du docteur Wurtman : les tissus exposés aux couleurs et à la lumière n'absorbent pas la lumière mais réagissent par des décharges d'hormones.

« La lumière est un agent trop important pour le négliger dans les méthodes de soins. »

Mais les explications les plus cohérentes sur le pouvoir curatif des couleurs nous sont apportées par les médecines traditionnelles, en particulier celles de l'Orient.

Ces anciennes théories se trouvent confirmées en de nombreux points par les conceptions de la physique moderne rencontrant les paradoxes de l'espace et du temps. Dans le *Tao de la Physique* (1) de Fritjof Capra, on peut lire : « *En physique atomique, beaucoup de situations paradoxales sont liées à la double nature de la lumière...* »

D'après le même auteur, l'action de la lumière se situe à un niveau vibratoire qu'il qualifie de subatomique ; niveau dans lequel la plus petite particule semble n'être qu'un rouage de l'univers, complément dépendant du Tout. Les anciens sages de l'Inde avaient déjà compris cela : « *Celui qui réside dans toute chose et qui est pourtant différent de cela...* » (Brihad Aranyaka.)

4. Les travaux de John Ott

Le chercheur américain John Ott, directeur de l'Environmental Health and Light Institute de Sarasota (Floride), définit sa recherche comme une écologie de la lumière recherchant les modifications biophysiques déclenchées par les radiations lumineuses naturelles et artificielles. Son institut est certainement le seul du genre ayant bénéficié de l'aide financière de grandes compagnies américaines. Ott fut l'un des premiers chercheurs à établir la relation entre les « problèmes » de la scolarité de l'enfant et les radiations prolongées subies devant les écrans de télévision. Il constata aussi l'amélioration de l'arthrite lors de l'abandon des lunettes correctrices et des lunettes de soleil, émettant l'hypothèse que les facteurs naturels de développement biochimique de l'homme sont entravés lorsque l'œil ne peut recevoir les radiations lumineuses dans leur plénitude.

Trois scientifiques soviétiques : Lazaref, Sokolov et Dantsig confirmèrent cette hypothèse en 1967, lors d'un congrès qui

1. Editions Tchou.

se tint à Washington : « *Si la peau humaine n'est pas exposée aux radiations solaires pendant une longue période, des troubles apparaissent au niveau de l'équilibre physiologique. Le résultat sera concrétisé par des désordres nerveux et une déficience en vitamine D, ainsi qu'une déficience du système de défense du corps humain...* » Ces savants soviétiques confirmèrent aussi la valeur des rayons ultraviolets artificiels, à dose mesurée, pour les personnes manquant d'exposition aux rayons solaires naturels : employés de bureaux, climats froids et sombres, travailleurs nocturnes...

Par contre, les travaux de John Ott ont prouvé les abus résultant de l'utilisation irraisonnée des lampes artificielles à ultraviolets, et ont abouti à une mise en garde contre toute surexposition, ces lampes dégageant certaines radiations qui sont normalement filtrées par l'atmosphère terrestre.

Mais les travaux les plus importants de Ott concernent les modifications de pigmentation obtenues sur des cellules végétales après l'irradiation de lumières colorées. Cette expérience prouve d'une façon irréfutable l'effet biochimique des couleurs. Ott tenta aussi d'expérimenter l'effet de la lumière et des couleurs sur des malades atteints du cancer ; malheureusement ces expériences durent être abandonnées rapidement à cause du scepticisme des médecins officiels et du blocage des crédits gouvernementaux (consécutifs à l'arrêt des recherches spatiales en 1968). Cependant, Ott eut le temps de tirer deux conclusions importantes :

— Le port des lunettes, et en particulier des lunettes de soleil, n'est pas favorable à la guérison.

— L'exposition raisonnée à la lumière naturelle du jour est un facteur aidant la guérison.

Ces deux conclusions sont parfaitement en accord avec les travaux précédents de Ott, ainsi qu'avec ceux des savants soviétiques, et confirment le bien-fondé des bains de soleil conseillés par de nombreux systèmes indigènes de médecines naturelles et traditionnelles (voir exemples d'application au chap. III et à l'annexe consacrée à Ott).

5. L'histoire ancienne de la chromothérapie

a) L'Egypte

Les papyrus rapportent que le dieu Thot était le maître des couleurs, et qu'il les utilisait dans le but de guérir et d'éveiller les facultés spirituelles. La couleur jaune d'Isis stimulait le mental tandis que la couleur rouge d'Osiris augmentait la force vitale. La médecine égyptienne incluait divers procédés tels que l'utilisation des pierres précieuses, des couleurs, des parfums, de la suggestion (incantations) et l'utilisation des sons. Le papyrus médical le plus important est certainement le papyrus Edwin Smith. L'utilisation d'eau solarisée dans des bouteilles teintées comptait parmi l'une des méthodes les plus faciles d'application.

b) La Chine

Les Chinois de la Chine antique utilisèrent surtout les couleurs dans le diagnostic des troubles de santé et dans la diététique. Le diagnostic chinois comprend quatre phases importantes : l'observation, l'auscultation, le questionnaire et la palpation. Dans la phase importante de l'observation, le praticien note soigneusement le teint et les colorations du visage :

— L'excès de teinte **rouge** correspond à un trouble du **cœur**.

— L'excès de teinte **jaune** correspond à un trouble de la **rate**.

— L'excès de teinte **blanche** correspond à un trouble des **poumons.**
— L'excès de teinte **noire** ou sombre correspond à un trouble des **reins**.
— L'excès de teinte **verte** correspond à un trouble du **foie.**

De nombreuses variations sont possibles : les teintes peuvent se mélanger (être mates ou éclatantes, pâles ou sombres, lustrées ou sèches, etc.). Les 5 couleurs pathologiques sont en effet reliées à la théorie chinoise des 5 éléments (ou 5 mouvements) : le **bois,** le **feu,** la **terre,** le **métal** et l'**eau.**

D'une autre façon, les 5 couleurs furent utilisées en diététique (voir les applications au chap. III) ; les Chinois qui ne connaissaient pas la théorie des vitamines avaient cependant compris que la variété des aliments était indispensable, d'où le mélange des 5 couleurs.

Correspondances chinoises générales des 5 éléments

Orients	Eléments nombres	Couleurs	Saisons	Facteurs climat	Organes principaux	Organes second.
Nord	1-Eau 6	Bleu-noir	Hiver	Froid	Reins	Vessie
Sud	2-Feu 7	Rouge	Eté	Chaleur	Cœur	Intestin grêle
Est	3-Bois 8	Vert	Printemps	Vent	Foie	Vésicule biliaire
Ouest	4-Métal 9	Blanc	Automne	Sécheresse	Poumons	Gros intestin
Centre	5-Terre 5	Jaune	Fin de l'été	Humidité	Rate	Estomac

Tout comme en Inde, la Chine développa un système complet de yoga corporel et énergétique appelé Chi Kung. Les maîtres de cet art disent qu'à un certain niveau de pratique, certaines couleurs apparaissent devant les paupières fermées. Ces couleurs ont une signification : elles indiquent les problèmes physiques ou mentaux du praticien.

Il est raisonnable de penser que c'est de cette manière que furent découvertes certaines propriétés thérapeutiques des couleurs. Dans cette méthode des *Chi Kung,* les couleurs sont aussi utilisées en visualisation empruntant certains circuits définis à l'intérieur du corps et en particulier les méridiens « curieux » de l'acupuncture chinoise.

c) Grèce et empire romain

L'héliothérapie (ou méthode de soin par les rayons solaires) était fort utilisée par les thérapeutes de ces âges ; il reste malheureusement peu de documents précis sur les pratiques exactes, de même que sur les médecines druidiques et sur celles des Indiens d'Amérique du Sud qui utilisaient aussi les couleurs et leur rapport avec les positions planétaires du jour de la naissance (astrologie médicale).

d) L'Inde

Ce pays a le mieux contribué à la découverte des lois subtiles de la guérison et en particulier de la chromothérapie. Deux grands courants ont marqué son histoire : la voie du Tantra (celle de l'expérience) et la voie de Shankara et Patanjali (celle de l'ascèse). Ces yogis considèrent l'homme comme une partie de l'univers capable de réaliser son identité avec ce même univers (état de conscience appelé *Samadhi*). Dans cet état, de nombreux sages *(rishis)* des temps védiques ont compris par intuition les lois de la guérison physique et mentale en posant les bases de la science médicale de l'ayur-véda. Cette science antique, encore peu connue en Occident, comprend la thérapie par les plantes, la diététique, le massage, les nettoyages internes, la respiration, l'utilisation des sons **(nada-yoga)** ainsi que la chromothérapie.

Pour les thérapeutes indiens, la couleur est à la fois objective et subjective. La couleur agit sur le corps subtil de l'homme à un niveau d'énergie qui touche à la fois au mental et au corps. Ce corps d'énergie subtile a été mis en évidence d'une façon quasi scientifique par le chercheur russe Kirlian qui a pu cristalliser sur la photographie.

Ce corps d'énergie subtile semble en étroite relation avec le système endocrinien de l'homme. Le contrôle de ce corps énergétique s'effectue grâce à des centres que la tradition appelle les *chakras* (les roues). Une théorie bien proche de l'acupuncture chinoise précise que le courant électromagnétique terrestre entre dans les chakras des pieds, puis monte le long du système nerveux spinal où il s'arrête à un certain niveau marquant l'évolution de l'individu. Le tableau suivant, tiré de la tradition tantrique, vous permettra de repérer rapidement à quel niveau vous pouvez vous situer en général grâce à l'étude de votre sommeil. Pour la tradition indienne, les êtres humains dépassant le chakra de la gorge sont des êtres assez exceptionnels capables de s'autoguérir et de guérir les autres. Plus la circulation de l'énergie se ralentit dans les canaux subtils *(nadis),* plus l'homme devient matérialiste. Le tableau suivant vous indique aussi quelles sont les couleurs qui correspondent à chaque centre d'énergie lorsque, dans le yoga, la concentration s'effectue sur ceux-ci.

D'après la médecine traditionnelle indienne ayur-védique, chacun de ces centres d'énergie peut être traité dans certains troubles physiques particuliers. Nous avons jugé important de présenter ces troubles sous la forme d'un tableau récapitulatif.

LES CHAKRAS

	Localisation sur la colonne vertébrale	L'individu seulement centré sur ce chakra ressent	Couleur	Elément	Sommeil indiquant le chakra dominant	La maîtrise de ce chakra apporte
1	Entre l'anus et les parties génitales	Insécurité	Jaune	Terre	12 h sur l'estomac	Autoguérison
2	Sexe	Jalousie, envie, corruption, perte d'énergie	Bleu	Eau	8 à 10 h fœtus	Active l'amour des animaux. Irradiant
3	Plexus lombaire, au niveau du nombril	Autoritarisme, « mauvaises » fréquentations	Rouge	Feu	6 à 8 h sur le dos	Recherche de l'illumination, altruisme, pouvoir de guérison.
4	Cœur	Vie manquant d'harmonie	Vert	Air	5 à 6 h sur le côté gauche	Conscient du karma, foi et amour (bhakti), perce les pensées des autres, rayonnant.
5	Gorge	Intolérance, ignorance	Pourpre Violet	Ether	4 à 5 h des deux côtés	Compatissant, aide les autres, connaissance directe (jnana), maîtrise la faim et la soif.
6	3e œil	Violence, austérité	Bleu		Sommeil conscient	Pouvoirs psychiques, dépasse ses problèmes.
7	Sur le haut du crâne	Extase	Blanc éclatant		Extase	Au-dessus du plaisir et de la douleur, pouvoirs (siddhis), joie.

Les textes anciens précisent que les couleurs et les sons jouent un rôle important dans l'équilibre du corps subtil de l'homme et, par là même, sur sa santé.

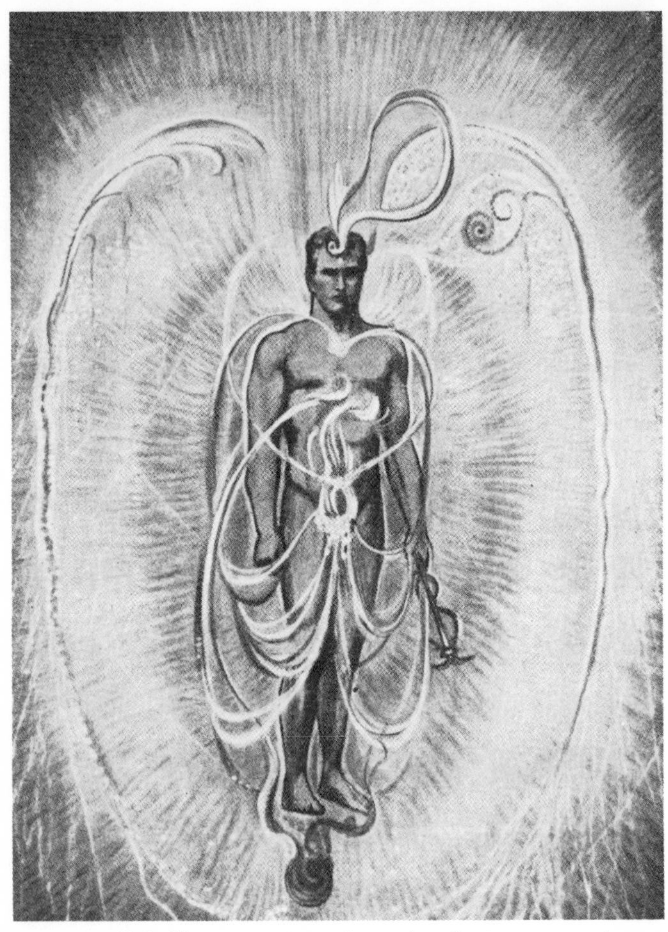

Le corps mental de l'homme est un champ irradiant parcouru de courants d'énergie, qui entoure et imprègne le véhicule physique. Sa forme de cœur rappelle de façon frappante l'atome de Babbiitt traversé par des circuits spiraloïdes d'énergie. Le courant d'énergie qui se dresse au-dessus du front a été nommé « crête du magicien », il se déploie lorsque s'unissent les énergies de l'âme et du soi inférieur. Il agit comme une antenne, captant l'activité des autres consciences et les courants mentaux qui l'impressionnent. La licorne

CHAKRA	TROUBLES TRAITÉS PAR CE CHAKRA	COULEUR A UTILISER
1 MULADHARA	Désordres du sang, fièvre, inflammations du foie et de la vessie.	JAUNE
2 SWADHISTANA	Manque de vitalité, fatigue, neurasthénie, diarrhée, œdèmes, diabète, anémie.	ORANGE
3 MANIPURA	Faiblesse du cœur, problèmes circulatoires, problèmes de l'ossification.	ROUGE
4 ANAHATA	Désordres nerveux, inflammations et affections cutanées, rhumatismes, constipation.	VIOLET
5 VISHUDA	Troubles endocriniens et de la lymphe, vieillissement prématuré.	INDIGO
6 AJNA	Coups de froid, maux de gorge, rhumes, blocages émotionnels.	BLEU
7 SAHASRARA	Troubles mentaux et émotionnels graves, troubles de la vue.	VERT

Pour la pratique de la chromothérapie (indiquée dans la troisième colonne), se référer au chapitre III.

---

légendaire, avec sa forme unique, symbolise l'épanouissement de la nature spirituelle de l'homme. Les mandarins chinois portaient une plume de coq pour représenter la crête du magicien, et les Indiens d'Amérique du Nord, une plume d'aigle. La coiffure de Bison Ours, de la tribu des Pieds-Noirs, illustre clairement cet aspect de l'anatomie subtile humaine. (« Le bouclier d'argent du corps mental », illustration de M., tirée de *The Dayspring of Youth,* 1970 — Bison Ours, photographie de Edward S. Curtis, U.S.A., 1926.)

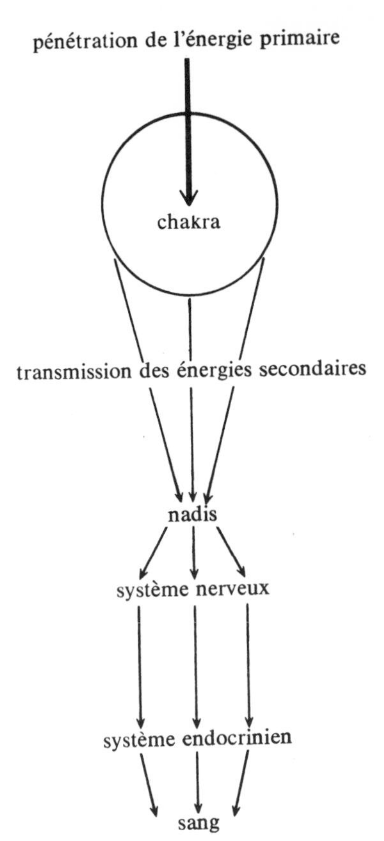

A travers les chakras, les plus importants plexus nerveux, les glandes endocrines et le réseau compliqué des minces filets nerveux, l'être humain reçoit les énergies qui lui parviennent de multiples sources dans l'univers, y compris les constellations zodiacales et les corps planétaires. De même, les énergies des plans mental, émotionnel et éthérique le marquent de leur empreinte ; dans le cours de son développement spirituel, il devient de plus en plus conscient des énergies qui lui parviennent de l'âme et galvanisent la personnalité pour lui faire accomplir son destin spirituel.

Les chakras transmettent les énergies qu'ils reçoivent, à des fins créatrices ou destructrices. Par exemple, une personne très polarisée au plan astral et régie par un plexus solaire développé et incontrôlé peut avoir une influence désastreuse sur son environnement. En revanche, un être qui a développé harmonieusement son chakra de la gorge et du cœur influence son entourage.

L'HOMME ET LES CHAKRAS

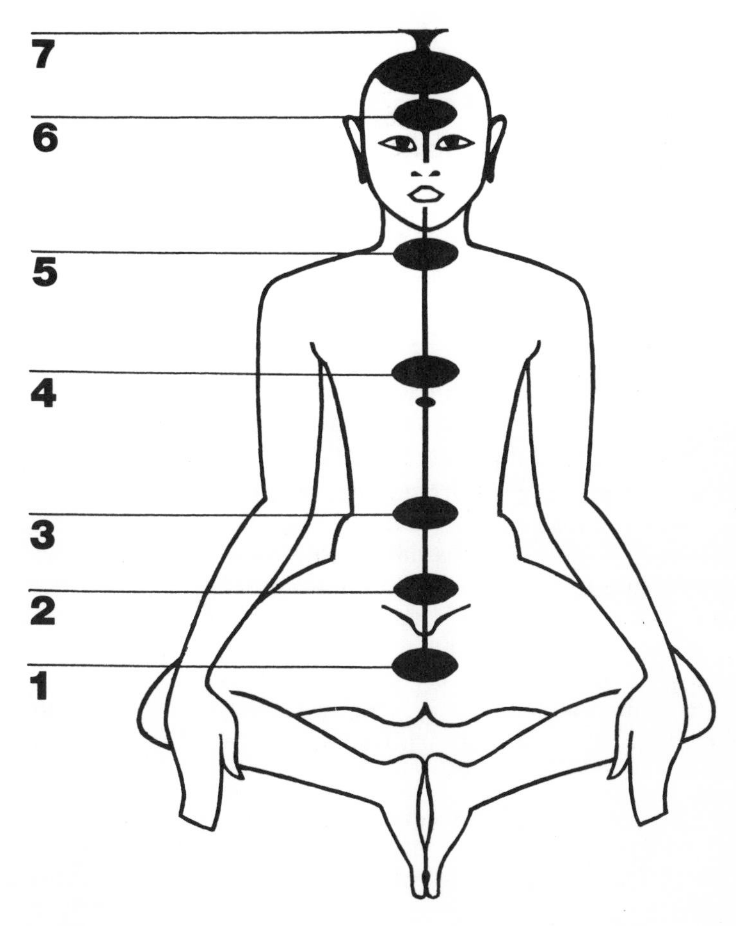

1 : chakra du coccyx
2 : chakra du nombril
3 : chakra du plexus solaire
4 : chakra du cœur
5 : chakra de la gorge
6 : chakra des yeux
7 : chakra de la tête

e) L'univers et les planètes selon la tradition de l'Inde

« *Ce qui est ancien sera de nouveau utile.* » (Tao Te King.)

D'après les *Bhutika Sutras,* anciens textes sanskrits, la base de la vie sur terre est l'énergie ou *shakti.* Deux sortes d'énergie secondaire peuvent être distinguées : **Grama Shakti,** la force émanant des planètes et **Para Shakti,** l'énergie cosmique. Une échelle de la matérialisation peut aussi être distinguée en cinq degrés :

— la matière dense,
— les fluides,
— les gaz,
— les radiations lumineuses,
— l'éther *(akasha).*

Tous ces états ne sont pas absolus, et différents changements peuvent se produire de telle façon qu'une modification de l'énergie entraînera un changement de degré dans la matérialisation. L'exemple le plus simple est celui de l'eau qui passe de l'état solide (glace) à celui de liquide puis à l'état de vapeur (gaz). Ainsi, l'action et le contrôle de la force et de l'énergie permettent d'opérer certaines transmutations où la forme peut apparaître ou disparaître. Ainsi, un traitement uniquement subtil (émission lumineuse) peut se révéler actif au niveau le plus dense et le plus matériel. Rien n'est créé, rien n'est perdu.

Deux sortes de mouvements sont en action dans l'univers :

1) La force vitale (le **chi** des Chinois) qui émane de Parashakti.
2) La force pure qui émane des planètes (Gramashakti).

La force vitale **(prâna)** a une relation évidente avec la conscience et l'intelligence. C'est elle qui permet la croissance harmonieuse des êtres. La force pure, elle, s'exerce comme un mouvement permanent d'attraction et de répulsion ; elle se décompose en plusieurs sortes de manifestations :

— l'énergie sonore ;
— l'énergie de la chaleur ;
— l'énergie magnétique et électrique (la force du tonnerre est considérée comme la plus forte des énergies dans les textes anciens).

Toutes ces énergies sont dues au mouvement des planètes (Soleil, Lune, etc.) ; c'est pourquoi l'étude de l'astrologie a toujours été considérée comme nécessaire dans l'art du thérapeute par les anciennes civilisations. Toutes ces énergies peuvent s'exprimer en termes de vibrations ; il est donc possible d'établir des correspondances entre les vibrations de la lumière et celles de la musique (du son) par exemple. D'une certaine façon, il existe un rapport entre les sept couleurs du spectre lumineux et les sept notes fondamentales de musique.

Les anciens traités d'astrologie, tel que celui de Mihira, attribuent une couleur et un son à chaque planète :

Soleil	Orange	Do
Lune	Blanc	Ré
Mars	Rouge	Mi
Mercure	Vert	Fa
Jupiter	Jaune	Sol
Vénus	Couleurs variées	La
Saturne	Noir	Si

Du Soleil émane l'**orange,** force de vitalité physique.

De Mars émane la vibration du **rouge** (la plus basse) : la vie au niveau inconscient et brutal.

Le **vert,** émanant de Mercure, est associé au système nerveux et à la compréhension.

Le **jaune,** issu de Jupiter, correspond à l'intellect et à l'activité analytique du cerveau.

La couleur **blanche,** émanant de la Lune, correspond à la bio-énergie émotionnelle.

De Vénus émanent les couleurs qui reflètent en l'homme son être spirituel : le **bleu,** l'**indigo,** le **violet** (force de guérison).

Ainsi, chaque individu, selon son moment de naissance, diffère de chaque autre par les émanations de Gramashakti qui le caractérisent et dont les couleurs sont une manifestation.

6. Les alchimistes et les couleurs

L'art de l'alchimie apparut sur le sol de l'Egypte, traditionnellement créé par Hermès Trismégiste. Le premier texte alchimique, *la Table d'Emeraude,* en précisa les fondements à l'époque de la puissance d'Alexandrie.

La recherche de l'élixir de jeunesse et de la pierre philosophale permit aux alchimistes de découvrir les bases de la chimie et de la thérapie par les plantes et les métaux. Les alchimistes, au cours des âges, isolèrent des substances colorées à qui ils attribuèrent des pouvoirs curatifs (alchimie arabe, espagnole, Moyen Age). En particulier, deux substances ont servi de base aux spéculations des alchimistes concernant la guérison ; Thot-Hermès disposait, dit-on, de deux fluides de régénération : le **sang rouge** et la **sève verte** dont il attribua la similitude de rayonnement à l'émeraude.

Certaines statues, selon les légendes grecques, cristallisaient ces ondes particulières et rechargaient les pèlerins en radiations bénéfiques et vitales.

Les propriétés des minéraux, des végétaux et leurs couleurs, furent très vite associées à l'astrologie médicale dans un système cohérent proche du modèle indien. Le tableau suivant résume les rapports entre les minéraux des alchimistes et les couleurs du spectre.

ANCIENS MONOGRAMMES SYMBOLIQUES DE QUELQUES MÉTAUX USUELS UTILISÉS JADIS PAR LES ALCHIMISTES			
♁	ANTIMOINE	(Sb)	
☽	ARGENT	(Ag)	BLANC
♀	CUIVRE	(Cu)	VERT
♃	COBALT	(Sn)	BLEU
♂	FER	(Fe)	ROUGE
☿	MERCURE	(Hg)	VIF-ARGENT
☉	OR	(Au)	JAUNE
♄	PLOMB	(Pb)	MARRON
☽○	PLATINE	(Pl)	
⚦	ALUMINIUM	(Al)	
ô	ZINC	(Zn)	

« En premier lieu, nous devons nous rendre compte que toute chose exerce une influence sur son environnement... littéralement, toute chose : le soleil, la lune, les étoiles, les créatures célestes, les hommes, les animaux, les arbres, les roches, toute chose irradie un flux incessant de vibrations » (C.W. Leadbeater).

7. Correspondances entre les sons et les couleurs

De nombreuses traditions établissent une relation entre les sons musicaux et les couleurs, et utilisent cette harmonie naturelle pour la guérison et la relaxation. Cependant, le problème posé par les correspondances entre sons et couleurs est loin d'être simple, et les relations établies par les traditions ont donné lieu à de nombreuses critiques dont la principale dénonce la subjectivité de ces correspondances.

Le problème de ces correspondances peut sembler insoluble si l'on considère qu'il existe plus de 150 couleurs et plus de 30 000 nuances musicales discernables. Notre gamme occidentale, dite « tempérée », n'est pas la seule référence en matière musicale, comme nous le prouve l'étude de la gamme indienne qui comporte des quarts de tons. Nous vous avons déjà proposé, dans les chapitres précédents, un exemple d'une tradition utilisant le rapport son/couleurs : celui de la philosophie tantrique de l'Inde. D'autres civilisations ont établi d'autres rapports en fonction de leurs propres gammes musicales, telles la Chine, le Tibet, la Perse, etc. Le tableau ci-après présente un autre aspect de cette recherche basée sur les sons purs de la gamme pythagoricienne et l'échelle des vibrations du diapason et des longueurs d'onde des couleurs.

Pythagore a découvert, il y a plus de vingt-cinq siècles, que les vibrations du diapason suivaient une proportion mathématique : DO = 1, RE = 9/8, MI = 5/4, FA = 4/3, SOL = 3/2, LA = 5/3, SI = 15/8. En réduisant ces proportions à un dénominateur commun, il est possible d'établir un tableau de correspondance entre les vibrations du diapason et les longueurs d'ondes du spectre lumineux :

Do	=	1	=	264				
Ré	=	9/8	=	297				
Mi	=	5/4	=	330				
Fa	=	4/3	=	352				
Sol	=	3/3	=	396	—	Violet	=	405
La	=	5/3	=	440	—	Bleu	=	476
Si	=	15/8	=	495	—	Vert	=	527
Do	=	2	=	528	—	Jaune	=	580
Ré	=	9/8	=	594	—	Orange	=	597
Mi	=	5/4	=	660	—	Rouge	=	700
Fa	=	4/3	=	704				

CHAPITRE II

L'effet curatif des couleurs

1. Les propriétés des couleurs

Ainsi les troubles de santé et les maladies résultent d'un déséquilibre, d'une disharmonie qui peut trouver son origine dans les erreurs d'hygiène de vie ou les coups du destin : erreurs alimentaires, manque d'exercice, émotions négatives, accidents...

Les couleurs, alliées à d'autres thérapeutiques naturelles, permettent à notre énergie vitale d'amener un état facilitant grandement l'autoguérison.

Pour comprendre cela, nous ferons de nouveau appel à la science médicale indienne ayur-védique. Le corps, siège de la conscience, est composé de cinq éléments qui doivent être dans un juste équilibre d'où résulte la santé physique et mentale. Ces cinq éléments sont l'**air,** le **feu,** l'**eau,** la **terre** et l'**éther** *(akash).* Chaque élément correspond à une vibration lumineuse, à une vibration sonore et à certaines vibrations particulières des aliments. Si l'un de ces éléments est affaibli, il faut alors le stimuler par les couleurs, les sons et les médecines naturelles appropriées (plantes, aliments). L'on utilise simplement des verres filtrants à travers lesquels la lumière solaire se teinte de la couleur. On expose ensuite certaines parties du corps (1) à cette lumière colorée pendant un certain laps de temps. On utilise aussi, par voie interne, des huiles végétales ou de l'eau ayant séjourné dans des bouteilles teintées à la couleur correspondante. Les yogis se passent d'ailleurs de ces procédés physiques et se contentent de visualiser par la méditation les couleurs nécessaires à leur santé. Peut-être, à ce stade de notre exposé, le scepticisme vous envahit-il ? La meilleure façon de connaître une chose reste de tenter l'expérience. Les couleurs ont une influence physique, émotionnelle et psychique sur notre être.

Avant d'aborder l'étude distincte de chaque couleur, nous allons dégager quelques principes généraux concernant les propriétés curatives des couleurs :

— La chromothérapie ne cherche pas à guérir les symptômes, mais plutôt à améliorer l'état général et les besoins particuliers de chacun.

— Certaines couleurs excitent le corps, d'autres le calment.

— Certaines couleurs sont astringentes, telles que le **rouge,** l'**orange** et le **jaune** (une pièce peinte en orange semble plus « petite »). D'autres couleurs sont « dilatantes » telles que le **bleu,** le **vert** et le **violet.**

— Le **bleu** aide à aller vers l'extérieur, tandis que le **rouge** permet de se « centrer ».

— Certaines couleurs telles que le **rouge** et l'**orange** élèvent la température d'une pièce ; elles sont appelées couleurs chaudes.

(1) Voir les applications au chapitre IV.

— On peut lire les couleurs complémentaires en fixant d'abord la couleur puis en portant les yeux rapidement sur une surface blanche.

— Les couleurs exercent leur influence de différentes façons : exposition aux rayons solaires filtrés, exposition du corps devant des lampes teintées, utilisation interne d'eau contenue dans des bouteilles teintées, utilisation des pierres précieuses, des aliments, de l'environnement.

Note : pour établir le répertoire des qualités et propriétés de chaque couleur, nous avons réalisé une synthèse des enseignements traditionnels de la médecine de l'Inde et de méthodes plus récentes de chromothérapie. Nous avons, en particulier, utilisé les sources traditionnelles suivantes : *Kurma Purana* (texte ayur-védique indien), *Mahanirvana Tantra* (texte tantrique indien), *Gerandha Samhita* (texte tantrique et yogique indien) et le *Nei King* (texte classique de la médecine traditionnelle chinoise).

Parmi les auteurs modernes, nous nous sommes inspirés des plus célèbres dans le domaine de la chromothérapie : docteur Dinsa Ghadiali, docteur Mac Naughton, docteur Battacharya, docteur Amber. Nous avons également rendu visite, en Inde, au docteur Balaji Tambe qui pratique une méthode complète de thérapie par les couleurs et les sons (voir annexe III).

2. Propriétés curatives du rouge

Le rouge correspond à l'élément **feu** des médecines chinoise et indienne. Il est le stimulant universel du « feu interne », la chaleur indispensable à toute vie. Le rouge stimule les nerfs, le sang et combat les effets nocifs du froid.

Effets physiques favorables dans les cas suivants : refroidissements, rhumes, frissons ; bronchites ; anémies ; douleurs rhumatismales aggravées par temps froid ; diarrhées ; constipation par atonie digestive intestinale ; neurasthénie ; tuberculose ; désordres du centre énergétique (chakra n° 1).

Contre-indications au traitement par le rouge : tempéraments sanguins ; hypertension ; tempéraments coléreux ou hystériques ; fièvre élevée ; troubles mentaux.

Effets sur les émotions : stimule l'esprit pour des épreuves à court terme (examens, compétitions).

3. Propriétés curatives de l'orange

Voici encore une couleur tonifiante que le docteur Mac Naughton appelle la « *couleur anti-fatigue* ». L'orange rappelle la couleur du soleil ; cette couleur complémentaire est formée de 3/4 de rouge et d'1/4 de vert. Par rapport au rouge, l'orange est une couleur plus mesurée, d'action plus douce, elle peut donc être utilisée plus souvent.

L'orange stimule le système respiratoire et la faculté de fixer le calcium.

Les textes indiens tantriques précisent que l'orange augmente le tonus sexuel et apporte l'optimisme. Son action antispasmodique est incontestable (crampes, douleurs dues aux tensions et aux stress) et l'orange permet de bien harmoniser la vitalité physique avec l'optimisme mental en fortifiant le corps d'énergie subtile.

Effets physiques favorables dans les cas suivants : faiblesse des poumons ; petite capacité respiratoire ; bronchite, asthme, rhumes chroniques ; hyperthyroïdie (par action tonifiante sur les parathyroïdes) ; prévention des tumeurs malignes ; arrêt des règles ; lactation insuffisante après l'accouchement ; prolapsus anal ; calculs biliaires ; troubles des reins.

Contre-indication au traitement par l'orange : pas de contre-indication notable.

Effets sur les émotions : augmente l'optimisme ; favorise la bonne relation corps-esprit ; sensation de bien-être ; tonique sexuel.

4. Propriétés curatives du jaune

Le jaune est une couleur stimulant le système nerveux central, l'énergie digestive et le tonus des muscles. Cette couleur complémentaire est formée à moitié de rouge et à moitié de vert : elle combine donc les effets toniques et régénérants de ces deux couleurs fondamentales. Une action positive du jaune est celle exercée sur le traitement intestinal et sur toutes les fonctions digestives (en particulier sur le foie et la vésicule biliaire).

La production des sucs digestifs est sensiblement augmentée (sécrétions stomacales, bile, salive). Une autre action importante, notée par le docteur Mac Naughton, est celle exercée sur le système lymphatique, dont le rôle principal est de nettoyer le sang de ses impuretés. Pour la médecine traditionnelle indienne, le jaune stimule le cerveau et les nerfs et harmonise le chakra (centre d'énergie subtile) du plexus solaire par son énergie positive.

Effets physiques favorables dans les cas suivants : constipation ; paralysies ; gonflement abdominal ; foie fatigué ; vésicule biliaire atonique ; rhumatismes musculaires ; eczéma ;

indigestion chronique ; maux de tête et migraines ; sang impur ; parasites intestinaux.

Contre-indications au traitement par le jaune : état d'excitation mentale ; hystérie ; palpitations cardiaques ; bactéries pathogènes ; colère ; alcoolisme ; inflammations aiguës.

Effets sur les émotions : stimule le cerveau et l'intellect (examens) ; stimule les nerfs ; dépression ; fatigue mentale ; mélancolie.

5. Propriétés curatives du vert

Cette couleur passait pour dangereuse à certaines époques du passé. Le vert est pourtant la couleur du « sang végétal », de la chlorophylle et aussi du carbone, l'un des composants les plus actifs et les plus importants de notre planète. D'après les anciens traités médicaux de l'Inde, le vert est l'une des couleurs qui permet d'harmoniser au mieux les troubles entre les différents « corps subtils de l'homme ». Aux Etats-Unis, le docteur Mac Naughton utilisait très souvent le vert dans ses traitements pour son pouvoir régénérant sur le « corps éthérique ». Le vert est une couleur négative, rafraîchissante et calmante.

Cependant cette couleur doit être utilisée avec prudence, et il est déconseillé de se vêtir ou de s'entourer de cette couleur qui peut, à la longue, provoquer des désordres au niveau des deux premiers centres de corps subtil (chakras) : envie, jalousie en particulier.

Le vert réduit la tension sanguine et purifie le sang et les tissus des germes et des bacilles. Mais son rôle principal est d'aider à se débarrasser de problèmes mentaux ou émotionnels importants.

Effets physiques favorables dans les cas suivants : insomnie ; désordres émotionnels profonds ; douleurs dorsales ; irritabilité ; hypertension ; hémorroïdes ; désordres vénériens ; colère due au foie malade ; colère des alcooliques.

Contre-indication au traitement par le vert : aucune, sinon que cette couleur ne doit pas être utilisée trop longtemps.

Effets sur les émotions : soulage l'insomnie ; calme la nervosité et les attaques de colère ; calme la tension nerveuse ; régénère physiquement et mentalement ; « change » les idées ; apaise les nerfs.

6. Propriétés curatives du bleu

Le bleu, couleur complémentaire du spectre visible, résulte de la combinaison à parts égales de vert et de violet. La somme synergique de ces deux couleurs donne un mélange régénérant et augmente les défenses de l'organisme. Cette couleur est particulièrement indiquée dans toutes les infections en partie lorsqu'elles sont accompagnées de fièvres (fièvre = feu = rouge). D'après le docteur Mac Naughton, le bleu produit l'oxygène nécessaire pour neutraliser l'excès d'hydrogène et de carbone. D'après les textes de l'Inde, le bleu réduit la chaleur en excès dans le corps et s'oppose à l'effet calorifique de la couleur rouge. Le bleu produit un effet calmant et rafraîchissant sur le système nerveux, il permet de surmonter l'égoïsme et ouvre la porte de la compassion et de l'intuition. Le bleu agit pourtant d'une façon positive sur l'assimilation et sur le sang qu'il renforce.

Effets physiques favorables dans les cas suivants : maux de tête ; vomissements ; toux nerveuse ; troubles de la gorge (angines, laryngites, pharyngites) ; infections ; fièvres ; inflammation des yeux ; crises aiguës de rhumatismes ; règles douloureuses ; maux de dents ; spasmes de l'estomac ; épilepsie ; chute des cheveux ; troubles de la peau ; insomnie ; brûlures ; morsures ; bouffées de chaleur ; ulcères d'estomac ; douleurs vertébrales aiguës.

Contre-indications au traitement par le bleu : rhumes ; coups de froid ; frissons ; hypertension ; paralysies ; rhumatismes.

Porter des vêtements bleus peut favoriser la dépression, la constipation et la fatigue.

Effets sur les émotions :

— le bleu induit l'état de paix, de tranquillité ;

— le bleu favorise la méditation et l'éveil de l'intuition (ouverture du chakra entre les deux sourcils : *ajna chakra*) ;

— le bleu permet de combattre l'égoïsme ;

— le bleu « ouvre » le mental de l'homme aux problèmes universels et le met en harmonie avec les autres.

7. Propriétés curatives de l'indigo

L'indigo est une couleur très active à tendance froide et astringente dont la principale utilisation réside dans son pouvoir anesthésique. L'indigo stimulerait donc les glandes parathyroïdes et calmerait la thyroïde. Son action anesthésique conduirait à une certaine insensibilité due non pas à l'inconscience mais plutôt à une élévation de la conscience permettant l'oubli du corps physique en stimulant le centre énergétique (chakra) du front *(ajna chakra),* et la circulation de l'énergie subtile du corps *(prâna)* en général dans les canaux énergétiques *(nadis).*

Effets de l'utilisation de l'indigo : toutes les douleurs ; maux de dents ; appendicite ; sinusites ; rhumatismes aigus ; sciatiques ; angine rouge ; névralgies faciales ; convulsions ; douleurs abdominales ; maux de tête ; désordres des cinq sens ; troubles de la vue ; cataracte ; saignements de nez ; bourdonnements d'oreille ; néphrites ; otite ; oreillons ; troubles de l'audition ; insensibilité aux saveurs gustatives.

Effets sur les émotions :
— stimule l'acuité des cinq sens ;
— stimule l'intuition *(ajna chakra)* ;
— calme l'excitation mentale ;
— permet d'accéder à certains niveaux de conscience plus subtils.

Contre-indications à l'utilisation de la couleur indigo : pas de contre-indication majeure.

8. Propriétés curatives du violet

Le violet établit un rapport étroit entre la rate et l'énergie vitale (prâna). Il exerce une action calmante sur le cœur et purifiante sur le sang. Il élimine les toxines et stimule la fabrication des leucocytes, cellules de défense. Son action émotionnelle contribue à éliminer la haine, l'irritabilité, la colère et calme toutes les émotions violentes.

Le violet permet aussi de diminuer notablement l'angoisse et la peur. Le violet stimule le centre énergétique du sommet du crâne (*sahasrara,* « le lotus aux mille pétales » — voir annexe I sur les chakras).

Effets de l'utilisation du violet : troubles de la rate ; indigestion chronique (sensation de lourdeur et de somnolence après les repas) ; troubles de la vessie ; cystites ; rachitisme ;

mauvaise ossification ; méningite (adjuvant) ; troubles des reins ; lumbago chronique ; sciatique chronique ; troubles rhumatismaux dus au froid et à l'humidité ; perte des cheveux ; irritation de la peau ; épilepsie ; pneumonie (adjuvant) ; toux sèche ; asthme.

Effets sur les émotions *(indiqué dans les cas suivants)* : irritation, nervosité ; colère rentrée ou exprimée ; jalousie ; sentiments de haine ; peurs sans cause ; angoisse.

Contre-indications de l'utilisation du violet : pas de contre-indication notable.

9. Propriétés curatives des couleurs composées

a) Bleu turquoise

Utilise en synergie les propriétés du bleu et du vert.

— Action tonique générale.
— Active la régénération de la peau : brûlures, chocs, traumatismes.
— S'utilise, d'après le docteur Mac Naughton, plutôt dans les troubles aigus que dans les maladies chroniques.
— Douleurs violentes et soudaines.
— Action psychique : calmante et reposante après les travaux intellectuels.

b) Citron

La couleur citron associe une action stimulante et une action de désintoxication. Le cortex et le thymus sont activés par le citron qui est considéré comme un important stimulant sexuel.

— Désintoxication.
— Stimule la vitalité dans les troubles chroniques.
— Défatigue.
— Stimule les os (le citron est associé au soufre et au phosphore, d'après le docteur Mac Naughton).
— Congestion.
— Blocage et congestion du foie : foie fatigué et paresseux.
— Yeux rouges.
— Goût amer dans la bouche.
— Mouches lumineuses devant les yeux.
— Vertiges et nausées (simultanément).
— Le docteur Mac Naughton et le chromothérapeute Dinsha pensent que le citron est un excellent complément du traitement du cancer.
— Action sur le thymus : mongolisme et crétinisme.
— Stimule le système nerveux central : mémoire, concentration.
— Troubles de la vésicule biliaire.

c) Pourpre et écarlate

Ces couleurs combinent l'action du rouge et du bleu. Cependant, il faut bien distinguer et opposer l'action de ces deux couleurs : le pourpre et l'écarlate, bien que composées du bleu et du rouge, ont des actions différentes. Deux actions curatives caractéristiques les opposent de prime abord :
— Le pourpre fait baisser la tension sanguine.
— L'écarlate augmente la tension sanguine.

Ecarlate : stimulant général ; stimulant du cœur ; stimulant de l'activité des reins et en particulier de la sexualité liée à l'activité rénale dans les médecines traditionnelles d'Orient (son action peut être comparée à celle du ginseng rouge de Chine) ;

traitement de la frigidité ; stimule le système artériel (sang rouge) ; stimule le flot menstruel.

Pourpre : action analgésique ; combat les fièvres ; effet hypnotique et calmant ; anaphrodisiaque (calmant de la sexualité) ; menstruations excessives ; saignements de nez ; irritations de la peau ; eczéma ; petites inflammations localisées ; stimule le système veineux (circulation de retour - sang bleu) ; agit comme diurétique et nettoie les reins de ses toxines ; effet positif et calmant sur les émotions.

10. Couleurs et médecine ayur-védique

Après la synthèse que nous vous avons proposée, il est intéressant de comparer le point de vue de la médecine de l'Inde par rapport aux couleurs. Les lignes qui suivent ont été compilées par le docteur K.L. Mukhopadhyay et concernent les propriétés curatives des couleurs et leurs rapports avec les planètes et les éléments traditionnels.

a) Le rouge

C'est la couleur du Soleil et du feu ; il représente le feu intérieur digestif du métabolisme. Il doit être employé pour combattre les troubles dus au froid. Il peut aussi rétablir la circulation du sang et combattre les affections du cœur, des yeux et des os.

b) Le vert

Froide de caractère et reliée à la planète Mercure, la couleur verte représente l'élément Terre, les viscères internes et les éléments denses du corps : os, chair, cœur. Le vert stimule l'odorat et le *prâna* (force vitale lors de la respiration).

Ses principales indications sont : l'ulcère de l'estomac, la dégénérescence des tissus, la peur, la perte de l'appétit, les désordres psychiques et les manies ainsi que tous les désordres dus à la chaleur (douleurs, névralgies, etc.).

c) Le bleu

Le bleu est en rapport avec la planète Jupiter et avec le sens de l'ouïe. Il contrôle les graisses du corps et le système des glandes endocrines.

Ses indications principales sont : les vomissements, la mélancolie, les rhumatismes, les troubles de la gorge, l'asthme, l'obésité et les crises d'apoplexie, l'excès de poids, la cellulite.

d) L'indigo

Cette couleur contrôle la lymphe et le sperme. C'est la couleur de la planète Vénus.

Elle traite les troubles suivants : stérilité, désordres vénériens, pertes séminales, troubles des yeux, faiblesse générale, sénilité, œdème, douleurs des règles, règles irrégulières, ménopause, pertes blanches et tous les troubles chroniques de la peau.

e) Le violet

Cette couleur, en rapport avec la planète Saturne et l'élément air, contrôle le sens du toucher et la sensibilité de la peau.

Elle traite les troubles du système nerveux : peur, phobie, complexes, angoisses et aussi la maigreur, les troubles des cinq sens, les névralgies et les douleurs articulaires, la constipation chronique.

f) L'orange

C'est la couleur de la Lune et de l'eau. L'orange régularise l'eau, la lymphe et les sécrétions du corps. Cette couleur protège de l'excès de feu et stimule le sens du goût.

Elle combat la diarrhée, les troubles de la vessie, l'anémie et les hémorragies.

g) Le jaune

Couleur de Mars, le jaune réchauffe et combat le froid dans le corps.

Il agit favorablement dans les troubles du foie, le sang intoxiqué, la variole, les ulcères chroniques, les hémorroïdes, les maux de dents et les fièvres fortes.

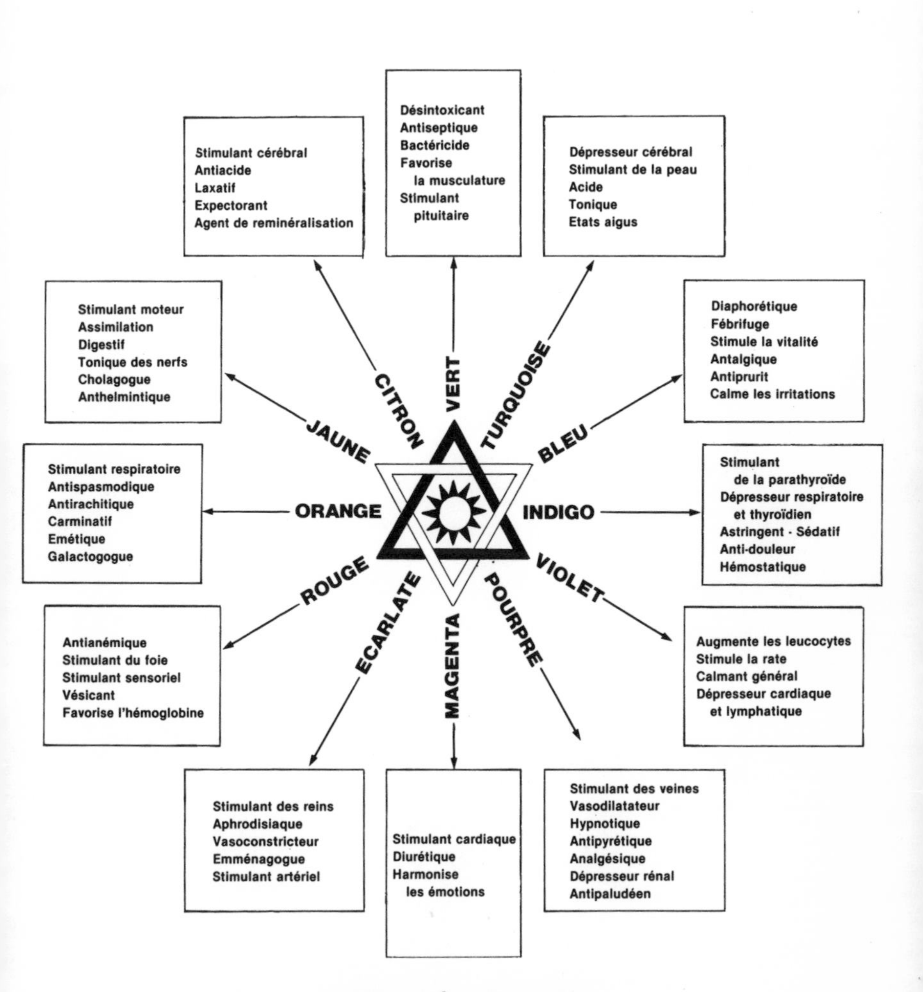

TABLEAU RÉCAPITULATIF
DES PROPRIÉTÉS CURATIVES DES COULEURS
(selon Dinsha - 1939)

CHAPITRE III

L'utilisation thérapeutique des couleurs

1. Chromothérapie pratique

Comme nous l'avons indiqué plus haut, les praticiens utilisant la chromothérapie sont rares. Mais ce fait n'est pas un handicap, au contraire. Les couleurs peuvent être utilisées avec efficience par chacun d'entre nous, à la maison, en complément du traitement donné par le médecin, l'acupuncteur, l'homéopathe ou, plus simplement, à titre préventif. Nous vous donnons ci-après les méthodes simples et pratiques de chromothérapie dans l'ordre croissant de leur efficacité, c'est-à-dire :

1. Port de vêtement de couleur.
2. L'alimentation et les couleurs.
3. L'héliothérapie.
4. Le port de pierres précieuses.
5. L'utilisation des bouteilles teintées.
6. La lampe individuelle de chromothérapie.
7. La visualisation des couleurs curatives.

L'ordre croissant d'efficacité va d'ailleurs de pair avec la difficulté : par exemple, la méditation-visualisation sur les couleurs, procédé issu des méthodes psychiques de l'Inde ne peut être utilisée de prime abord sans une certaine maîtrise de la relaxation et de l'utilisation des couleurs avec la lampe individuelle de chromothérapie dont nous vous donnons le mode d'emploi et de construction.

Avant de débuter cette partie pratique, nous devons nous rappeler que la chromothérapie n'agit pas contre les symptômes mais qu'elle stimule un flot d'énergie curatif potentiel, dans un processus que le docteur Edward Bach, praticien d'homéopathie par les fleurs (1), a très bien synthétisé dans sa remarque suivante : « *La prévention et la guérison de la maladie peuvent être découvertes en cherchant ce qui est erroné en nous et en éliminant cette condition par le développement d'une vertu capable de détruire cette même condition et non pas en combattant le mal directement.* »

Les médecines naturelles du passé avaient posé de tels principes il y a plus de deux mille ans.

2. Le port des vêtements de couleur

Une publicité actuelle met l'accent sur le fait que « *la vie est trop courte pour s'habiller triste* » et la croyance populaire dit : « *L'habit ne fait pas le moine* », mais combien de personnes reconnaissent la véritable fonction de la couleur ? Les modes se succèdent en mélangeant les tons de façon anachronique. Deux contradictions évidentes se détachent aux yeux de l'observateur connaissant la chromothérapie :

1) Les couleurs vives et chaudes en vogue pendant l'été (rouge-orange-jaune) devraient être portées pendant l'hiver.

---

1. *La Guérison par les Fleurs* (Le Courrier du Livre).

2) Les couleurs criardes que revêtent le plus souvent les extravertis devraient être justement la parure des mélancoliques et des lymphatiques pour harmoniser leur tempérament.

L'utilisation des vêtements comme moyen d'améliorer sa santé physique et mentale peut ne pas sembler évidente d'un premier abord, mais demeure pourtant un facteur important d'équilibre. De nombreuses communautés religieuses, par exemple, utilisent le blanc (symbole de pureté) ou le noir (symbole d'austérité et de retrait des choses matérielles). Le rouge symbolise et stimule l'action (la révolution). En Inde, le maître tantrique Bhagwan Shree Rajneesh (2) recommande aux néo-sannyasins le port de vêtements oranges pour stimuler l'énergie, ce qui a donné naissance à la boutade : « *En orange tout s'arrange.* »

D'une façon générale, les couleurs de nos vêtements agissent plus sur nos émotions que sur notre santé physique. Cela est dû au fait que la couleur réfractée par les vêtements est d'une intensité nettement inférieure à celle de la lumière du soleil ou à celle d'une lampe de chromothérapie. Il est possible d'appliquer aux vêtements colorés les mêmes caractéristiques principales indiquées au chapitre II sur les propriétés curatives des couleurs ; cependant, compte tenu de leur action émotionnelle, nous avons résumé les effets principaux du port de vêtements selon la science de l'Inde.

Vêtement rouge : utilisable pour de petites périodes de temps : compétitions sportives, efforts à fournir et pour stimuler l'appétit et la combativité sur tous les plans.

Vêtement jaune : pour fortifier les nerfs et le cerveau : épreuve intellectuelle ou affective.

---

2. Voir ses deux ouvrages : *La Méditation dynamique* et *L'Eveil à la Conscience cosmique* (Editions Dangles, collection « Horizons spirituels »).

Vêtement orange : pour « centrer » la conscience dans le corps, se sentir bien et optimiste, augmenter le tonus sexuel.

Vêtement vert ou gris : à porter pendant les périodes de grands troubles émotionnels ou mentaux. Choisir un vert pur et éviter cependant de porter la couleur trop longtemps.

Vêtement bleu ou violet : pour trouver le calme, la paix et s'ouvrir aux autres ; mais attention, le port permanent de vêtements bleus engendre de la fatigue, de la constipation et de l'indigestion chronique.

Vêtement blanc : permet aux autres de vous voir tel que vous êtes, comme si vous étiez transparent.

Il nous semble utile de préciser que les couleurs qui rehaussent vos vêtements devraient être naturelles (végétales ou minérales), de même que les fibres de ceux-ci, afin de ne pas créer d'interférences électromagnétiques avec votre corps d'énergie (coton, lin, soie, laine, cuir...).

3. L'alimentation, les 5 organes et les 5 couleurs

La médecine traditionnelle chinoise considère la diététique comme l'un des facteurs les plus importants pour le maintien de la santé. L'ancienne théorie des cinq éléments (appelés aujourd'hui cinq mouvements : Wou Hang Shuo) explique que l'univers vivant est formé de cinq éléments : **bois, feu, terre, métal** et **eau.**

Conformément à cette théorie, les cinq organes qui sont considérés comme les plus importants pour la régulation des fonctions organiques sont : le **cœur,** le **foie,** la **rate,** les **reins** et les **poumons.** Ces cinq organes sont en relation étroite avec cinq couleurs : **rouge, bleu** ou **vert, noir, blanc** et **jaune,** ayant une relation étroite avec le fonctionnement de ces organes.

Chaque couleur est sensée stimuler l'organe correspondant ; ainsi les Chinois qui n'avaient aucune connaissance scientifique des vitamines établirent cependant un système diététique qui leur permettait de contrôler empiriquement l'énergie des organes par les couleurs des aliments et leur saveur.

Par exemple, les haricots rouges fortifient les fonctions du cœur tandis que les pois verts désintoxiquent le foie (alcoolisme) et que le sésame noir stimule les fonctions rénales. Ce tableau résume les possibilités surprenantes de cette méthode :

COULEUR	ORGANE	ALIMENTS CONSEILLÉS
ROUGE	Cœur	Tomates, poivrons rouges, paprika...
BLEU ou VERT	Foie	Légumes verts, salades, pois, épinards, oseille...
BLANC	Poumons	Radis, chou blanc, céleri, navet...
JAUNE	Rate	Carottes, melon, fruits...

Il est possible d'établir une méthode encore plus précise en utilisant la typologie et les cinq saveurs selon le programme suivant :

CONSTITUTION	TEMPÉRAMENT	COULEURS FAVORABLES DES ALIMENTS	SAVEURS FAVORABLES
Excès de poids	Frileux	Rouge, noir	Aigre, chaud
Excès de poids	Non frileux	Blanc, bleu, vert	Amer, aigre
Maigre	Frileux	Rouge, noir, blanc, jaune	Doux, salé
Nerveux, maigre	Non frileux	Jaune, blanc	Doux, amer
Nerveux	Frileux	Rouge, vert, jaune	Salé, amer, doux
Nerveux	Non frileux	Vert, blanc	Salé, amer, aigre

4. L'héliothérapie ou la santé par les rayons solaires

Le bain de soleil (ou héliothérapie) fut utilisé par les anciens thérapeutes de l'Inde, de la Grèce et de l'empire romain. De nombreux sanatoriums continuent d'utiliser cette thérapie naturelle pour beaucoup de maladies chroniques.

La lumière solaire est incontestablement notre première source de vie : tous les processus biochimiques de la nature en dépendent, et en particulier le cycle de transformation du carbone. Nous l'avons vu plus haut, la lumière solaire peut se décomposer à travers un prisme en sept couleurs principales. Les rayons ayant la plus grande longueur d'ondes sont les rayons rouges et infrarouges, sources de chaleur. A l'opposé, les rayons violets visibles, puis les ultraviolets ont une longueur d'ondes plus courte. Les pouvoirs curatifs des rayons solaires ont souvent été attribués aux rayons ultraviolets.

La science médicale indienne considère le soleil comme l'origine d'une énergie plus subtile appelée *prâna,* c'est-à-dire force vitale bioplasmique. Cette énergie est considérée comme très bénéfique et vitalisante le matin au moment du lever du soleil. Il est donc recommandé d'assister chaque matin, été comme hiver, au lever du soleil. Même si celui-ci se trouve caché par quelques nuages, les effets bénéfiques du *prâna* matinal se manifesteront sur la qualité de la respiration.

D'après la science occidentale, les vertus thérapeutiques suivantes sont attribuées au rayonnement solaire (incluant les rayons ultraviolets) :

— stimulation de toutes les fonctions du corps ;
— stimulation de la digestion et de l'assimilation ;
— effet positif sur la circulation sanguine ;
— effet positif sur la circulation de la lymphe ;
— régénération de la peau ;
— pigmentation naturelle de la peau : hâle (et non bronzage) ;
— accélération de l'élimination par les pores de la peau ;
— action sur le processus de synthèse de la vitamine D (antirachitique) ;
— action bactéricide ;
— action analgésique.

De grandes améliorations sont notées dans les maladies chroniques ainsi que pour les troubles psychiques et émotionnels que l'on nommait par le passé : « maladies de langueur ».

Comment donc prendre un bain de soleil sans pour cela perdre trop de temps ou se surexposer aux rayons ? A quelle heure profiter de cette thérapie naturelle ? A ces questions, la science médicale de l'Inde répond d'une façon précise et efficace. Le bain de soleil du matin peut révolutionner votre vie et vous apporter une énergie insoupçonnée. **Voici donc les règles de la véritable héliothérapie :**

— Se lever environ 15 minutes avant le lever du soleil. Ne rien avaler à ce moment (ni petit déjeuner, ni café).

— Evacuer les besoins naturels puis prendre rapidement une douche d'eau tiède et se sécher.

— Ouvrir ensuite une fenêtre exposée à l'Est (rester dans la pièce sauf en été) et commencer doucement à se dévêtir. En hiver, la pièce devra être bien chauffée. Laisser la peau s'habituer à la température. S'allonger sur le sol, complètement nu et exposé à la lumière du jour naissant.

— Respirer à fond en utilisant le ventre, le thorax et le haut des poumons (respiration complète).

— Centrer votre attention sur l'état d'harmonie qui existe entre vous et la lumière du jour qui pointe.

— Les premières semaines vous pouvez exposer votre corps 3 à 4 minutes, puis 10 minutes les semaines suivantes (maximum 20 minutes). La peau se recouvrira bientôt d'un léger hâle brun qui n'a rien à voir avec le bronzage fugace et excessif des plages d'été.

— Puis vaquez à vos occupations : petit déjeuner, travail, etc. Il serait bon, à ce moment de la matinée, d'avoir près du regard quelques fleurs blanches et rouges dont la couleur et les essences *sattviques* (pures - harmonisantes en sanskrit) rechargent l'énergie subtile. De toutes les fleurs, le lotus et la rose sont celles qui possèdent le plus ce pouvoir énergétique, d'après les textes médicaux indiens (3).

---

3. En médecine chinoise, notons que le lotus calme les nerfs et fortifie les reins, et que la rose équilibre le cœur et nettoie le corps des toxines. L'eau de rose ajoutée aux aliments calme le cœur et tonifie l'énergie et les yeux.

Nous pouvons remarquer ici que les fleurs les plus colorées sont souvent celles qui ont le moins de parfum, et que les fleurs les plus parfumées sont souvent celles qui ont le moins de couleur. Les textes indiens disent que le pollen des fleurs active l'énergie subtile de l'homme par le canal du sens olfactif et établit un lien psychique entre l'homme et le règne végétal. Un système entier de guérison homéopathique par les fleurs a été formulé en Grande-Bretagne par le génial Edward Bach dont l'œuvre est trop méconnue en France. En général, les remèdes du docteur Bach sont utilisés pour résoudre les troubles psychosomatiques.

D'autres textes tantriques indiens précisent que porter sur soi des fleurs en guirlande augmente le tonus général. Ces textes précisent que les fleurs agissent en apportant leur propre coloration à notre énergie subtile (électromagnétique) et en la purifiant. Cela semble confirmé par les traditions du monde entier où l'offrande de fleurs est un gage de pureté.

5. Pierres précieuses, couleurs et santé

L'action psychophysiologique des pierres précieuses est connue depuis l'Antiquité. Les légendes se multiplient en Orient autour des pierres qui guérissent, celles qui portent chance (action psychologique) et celles qui tuent leurs propriétaires. Les pierres constituent un raffinement unique du monde : leurs couleurs sont pures, inaltérées et inaltérables. La pureté de leur couleur est révélée par le prisme. Ainsi les pierres ont une grande capacité d'absorber et de réfléchir la lumière.

L'explication de l'effet des pierres précieuses sur notre organisme est donnée dans les anciens textes védiques : il existerait une inter-relation entre les vibrations émises par les pierres et l'énergie interne de l'homme (appelé dans les textes anciens : le *feu intérieur*). D'après les hypothèses géologiques récentes, les pierres seraient issues d'un refroidissement assez lent de certaines matières minérales. Il y a donc un rapport étroit entre le feu de la terre (le magma) et l'énergie vitale de l'homme.

De très nombreux textes anciens tibétains et indiens mentionnent l'usage thérapeutique des pierres précieuses : le *Mahabararta,* l'*Agni purana,* l'*Ayur-véda.* En médecine chinoise, le *Pentsao King* mentionne plusieurs pierres précieuses dont l'usage est réservé aux herboristes orientaux qui prescrivent ces pierres par voie interne à doses mesurées sous forme de poudre et de calcinations. Du point de vue de la médecine traditionnelle indienne, les pierres précieuses transmettent une énergie particulière variant du neutre *(sattvique)* : couleur blanche, à l'actif *(rajasique)* : couleur rouge, au passif *(tamasique)* : couleur noire.

Toutes les pierres, quelle que soit leur couleur, varient au sein de cette échelle. Deux règles importantes sont à retenir :

Les pierres doivent être naturelles (pas de pierres synthétiques).

La peau doit toucher au moins un petit bout de la pierre (la bague qui supporte la pierre devrait être percée de façon à ce que la peau touche la pierre).

Voici les propriétés des sept pierres précieuses les plus couramment utilisées :

L'émeraude (couleur verte) : stimule surtout la faiblesse du système nerveux. Cette pierre est tonique et stimule le système de défense contre les toxines. Elle est aussi conseillée dans l'anémie, les pertes de mémoire, les œdèmes, les hémorroïdes et la stérilité. Cette parure stimule aussi l'appétit.

Le diamant (couleur indigo) : cette pierre agit surtout au niveau du système génito-urinaire : troubles vénériens, troubles urinaires, rétentions d'eau, infections de la vessie, impuissance, obésité. Une action positive sur le foie et sur la vue (relation foie et yeux existant aussi en médecine traditionnelle chinoise) complète l'action bénéfique du diamant.

Le rubis (couleur rouge) : il exerce une action douce et régénératrice. Il augmente la mémoire, l'appétit, et stimule lentement tout le métabolisme. En Inde, cette pierre est considérée comme augmentant la longévité. Elle exerce aussi une action positive sur la virilité et la qualité du sperme. En médecine ayur-védique, elle augmente *pitta* et *vayu,* les deux principes correspondant au feu et au vent en médecine chinoise. Le rubis calme aussi les diarrhées et agit favorablement sur les troubles chroniques cardiaques.

Le topaze (couleur jaune) : il exerce une influence presque opposée à celle du rubis : il rafraîchit et calme les humeurs du corps. Il purifie le sang de ses impuretés, ainsi que la peau, calme les sensations de démangeaisons (eczéma), ainsi que les impressions de brûlure de l'anus, renforce aussi la mémoire et donne un lustre éclatant à la peau. En médecine ayur-védique, il purifie *hapha* et *vata,* les deux principes correspondant au vent et au phlegme.

Les perles (couleur orange) : cette parure d'origine animale est elle aussi d'action rafraîchissante. Son action est remarquable dans les fièvres chroniques, telles la tuberculose ou les fièvres tropicales. La perle est aussi un tonique général conseillé aux tempéraments sanguins bilieux et colériques : elle augmente raisonnablement l'appétit et fortifie le sens de la vue. Elle tranquillise l'esprit et calme les angoisses. Elle est toute indiquée pour les palpitations cardiaques surtout si celles-ci sont d'origine nerveuse. D'une façon plus symptomatique, la perle calme les sensations de brûlure sous la plante du pied.

Le corail (couleur jaune) : d'origine animale, le corail exerce une action stimulante sur *pitta* (le feu de la médecine indienne), c'est-à-dire qu'il renouvelle le sang. Il est donc particulièrement recommandé aux femmes enceintes, aux enfants anémiques et aux rachitiques dont la croissance est retardée. La structure osseuse est renforcée par son action. L'action favorable du corail s'exerce aussi sur la mauvaise digestion et sur l'élimination des toxines du corps ; il purifie les trois principes fondamentaux (les trois *doshas* de la médecine ayur-védique) : le feu, le vent et le phlegme (voir annexe II).

Le saphir (couleur bleue) : il est surtout conseillé dans les troubles de la peau et les douleurs : eczéma, rhumatismes, goutte, lumbago, psoriasis. Il stimule aussi les défenses contre les rhumes et refroidissements. En médecine traditionnelle indienne, il purifie le vent.

Les couleurs attribuées à ces pierres correspondent plus à leurs sympathies planétaires qu'à leurs couleurs apparentes. De plus, il est intéressant de préciser que l'on peut se contenter de pierres semi-précieuses, l'important étant qu'elles soient vraiment naturelles.

6. La méthode des bouteilles teintées

Utilisez des bouteilles déjà teintées « dans le verre » si possible (rouges, bleues, oranges, etc.) ou, à défaut, des bouteilles que vous peindrez avec une peinture translucide (vitrail) que vous trouverez dans les papeteries et les magasins spécialisés en peinture artistique.

La bouteille doit être remplie d'eau pure (eau de source, eau de ville d'excellente qualité, eau minérale peu minéralisée :

Volvic, Charrier, Mont-Roucous) et exposée directement aux rayons du soleil durant quatre heures au moins. Plus l'eau est exposée, plus elle est « chargée ».

Bien évidemment, l'eau ne se teinte pas de la couleur servant de filtre, mais elle se charge de certaines vibrations comme le souligne le chercheur Franz Bardon : « *l'élément liquide attire le magnétisme... pas seulement l'eau mais aussi toutes les sortes de liquides* ».

D'après la méthode indienne ayur-védique, le maximum de saturation en vibrations est obtenu au bout de quatre heures d'exposition au soleil. Précisons toutefois que la lumière pénètre même si le temps est nuageux.

L'on doit prendre deux à trois verres par jour de cette eau « solarisée », de préférence à jeun, avant les repas, en avalant doucement gorgée après gorgée.

Afin de savoir quel type de bouteille colorée vous devez utiliser, il convient de bien regarder le chapitre concernant les propriétés curatives des couleurs ainsi que l'index thérapeutique (chap. V).

Vous pouvez aussi, en cas de douleurs ou de problème cutané, exposer de l'huile d'amande douce dans une bouteille colorée et masser doucement la zone atteinte (du haut vers le bas) :

— huile solarisée avec le **rouge** pour réchauffer le corps ;

— huile solarisée avec le **bleu,** l'**indigo** ou le **violet** pour calmer les douleurs ;

— huile solarisée avec le **jaune** et le **turquoise** alternativement pour les problèmes de peau.

*

* *

7. La lampe de chromothérapie

Il est impossible, à notre connaissance, de trouver actuellement sur le marché français des lampes de chromothérapie. Par contre, en Grande-Bretagne, l'institut Hygiea fournit des lampes à des prix assez élevés.

La meilleure façon de vous procurer une lampe est de la construire vous-même :

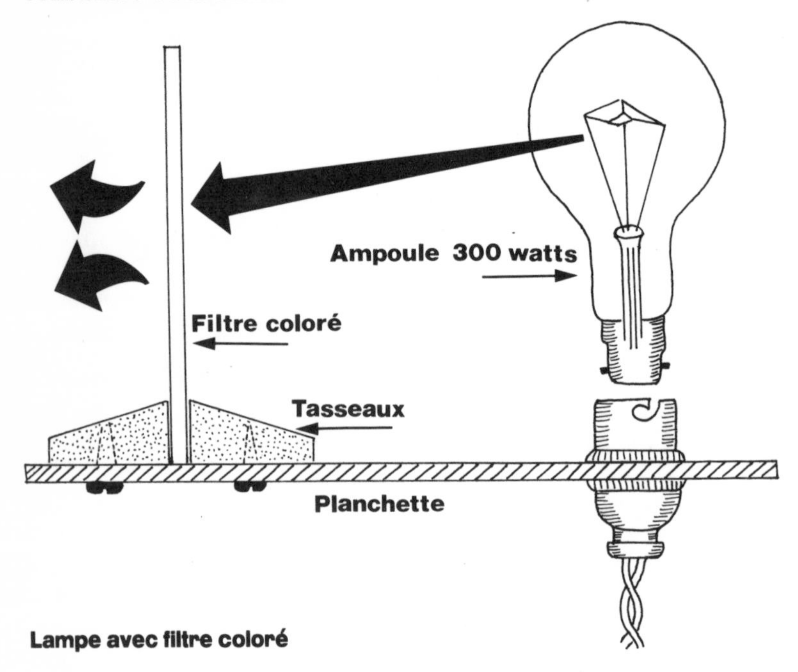

Lampe avec filtre coloré

Choisir d'abord une ampoule de 300 watts (veiller à ce que la puissance de votre installation électrique soit suffisante) ou, à défaut, une lampe de 150 watts. La fixer sur une planchette de bois par une douille adaptée, et relier le tout au secteur. Placer devant cette lampe, à environ 20 ou 30 cm, deux tasseaux de bois formant une gorge qui pourra recevoir des verres teintés. Ces filtres colorés peuvent être commandés chez les fournisseurs de matériel de spectacle. La lumière de l'ampoule, en traversant le filtre, deviendra teintée de la couleur de ce filtre.

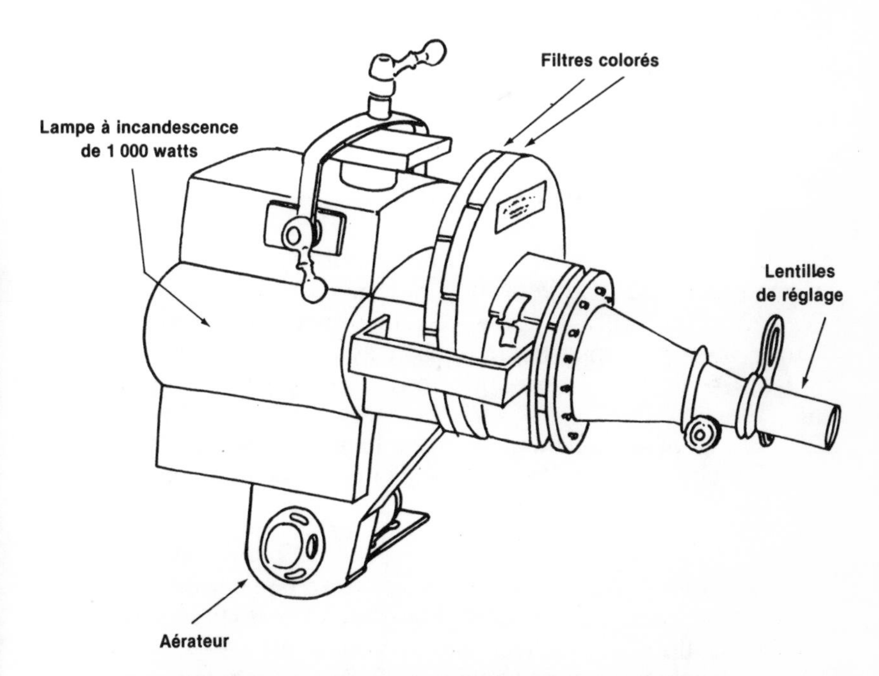

Exemple d'une lampe sophistiquée de chromothérapie :
l'appareil de Dinsha construit aux U.S.A.

A défaut, nous vous conseillons d'obtenir plusieurs variétés de lampes colorées servant pour les spots lumineux d'ambiance. Cependant, les colorations et la puissance de ces lampes laissent parfois à désirer.

La seconde solution proposée que nous considérons comme la meilleure est certes plus onéreuse : l'utilisation d'un projecteur et de diapositives. Ces diapositives peuvent être réalisées en photographiant des papiers à dessin mats et colorés. Plusieurs essais devront être réalisés avant d'obtenir des couleurs pures, mais avec ce système, il est possible d'obtenir toutes les variations de tons désirés.

L'utilisation de la lampe de chromothérapie est décrite au chapitre V.

8. La visualisation des couleurs

L'esprit possède le pouvoir de visualiser sans support extérieur, grâce à la faculté d'imagination. Cette faculté naturelle peut être renforcée grâce à certaines méthodes connues de l'Inde ancienne appartenant à la tradition du Tantra et du Yoga. Ces exercices vous apporteront trois résultats bien définis :

— Le développement de votre faculté d'imagination.

— Une plus grande quiétude de l'esprit facilitant la relaxation.

— Un effet psychosomatique bénéfique à la santé.

Tous les grands philosophes, poètes et scientifiques, ont une grande faculté de visualisation créative. Les enseignements orientaux nous apprennent que la visualisation nous conduit dans des couches très profondes de la conscience où la sagesse naturelle se manifeste et où l'inconscient s'imbibe des suggestions positives proposées par notre conscient. Ces méthodes furent appelées « visualisations créatives » par les anciens yogis. Un des plus importants livres de sagesse hindoue, la *Kena Upanishad,* dit : *« A travers la connaissance l'esprit obtient les pouvoirs ; à travers la visualisation intérieure il atteint l'éternité. »*

La méthode traditionnelle que nous vous proposons met en œuvre trois processus simultanés : la visualisation d'une lumière colorée, la respiration profonde et la relaxation. Des expériences récentes des docteurs Brosse, Abresol et Motoyama montrent d'une façon irréfutable que la respiration profonde et rythmée produit des effets bénéfiques sur le système cardio-vasculaire et des modifications sensibles des ondes E.E.G. émises par le cerveau (mesurables grâce à l'électroencéphalographe). Les textes anciens attribuent des propriétés vitalisantes à l'air inspiré consciemment, car celui-ci contient une force universelle : le *prâna* (voir chapitre I). La respiration yogique permet un véritable bain de jouvence dans l'océan de prâna qui baigne toute créature.

Voici donc la méthode complète de visualisation des couleurs :

— S'isoler dans une pièce calme et bien aérée. La température devrait être agréable : ni trop fraîche, ni trop étouffante. Faire brûler un peu d'encens léger *(lotus* ou *santal).* Les meilleures heures pour pratiquer cette relaxation sont le lever et le coucher du soleil, mais l'important est surtout d'avoir eu le temps de bien digérer (ou d'avoir l'estomac vide).

— Allongez-vous par terre dans la position de Shavasana, c'est-à-dire sur le dos, les jambes légèrement écartées, les paumes des mains tournées vers le haut. Aucune ceinture ou vêtement étroit ne doit vous serrer. Fermez les yeux et laissez le corps se détendre. Toute méthode de détente peut alors être appliquée : yoga, Schultz, sophrologie, etc. Nous vous conseillons la progression suivante si vous ne connaissez aucune technique de relaxation : contracter légèrement puis détendre chaque groupe de muscles du corps en commençant par les pieds pour finir par la tête. Cette relaxation vitalisante ne prend qu'une à deux minutes.

— Maintenant, prenez conscience des bruits qui existent, quels que soient le silence et le calme qui entourent la pièce où vous vous trouvez. Laissez votre attention se promener d'un bruit à l'autre sans jamais se fixer (une minute environ).

— Fermez les yeux et portez doucement votre attention sur votre respiration, sans modifier celle-ci cependant. Dites-vous mentalement les mots suivants en rythme, avec votre souffle : « *Cela inspire... cela expire...* » Evitez toute intervention volontaire sur votre respiration et laissez votre souffle s'apaiser de lui-même (une minute environ).

— Commencez maintenant le véritable processus de visualisation : imaginez que chaque inspiration que vous effectuez est chargée de vibrations lumineuses de la couleur choisie selon l'index thérapeutique du chapitre V, ou selon les instructions données ci-dessous dans ce même paragraphe. A chacune de vos inspirations, imaginez et « sentez » l'air coloré pénétrer dans votre corps par le nez (sensation de l'air dans les narines), puis se diffuser dans toutes les parties du corps. Retenez l'air une à deux secondes, en visualisant le corps entièrement composé de cellules et d'organes colorés par la teinte choisie. Puis laissez l'air ressortir doucement, naturellement. Effectuez cette visualisation pendant environ trois minutes avec une grande intensité, cependant dépourvue de tension.

— Relaxez-vous librement pendant environ une minute et ramenez doucement votre mental vers l'extérieur ; bougez quelques muscles, levez-vous sans hâte et reprenez vos occupations quotidiennes.

Le choix de la couleur à visualiser doit être réalisé en cherchant dans l'index thérapeutique du chapitre V le trouble contre lequel vous voulez agir, ou en consultant les propriétés thérapeutiques des couleurs au chapitre III.

Cependant, voici une autre méthode qui se prête bien à la visualisation des couleurs, telle qu'elle est décrite dans le *Prajnopava,* texte médico-tantrique datant d'environ 1 000 ans. Après avoir débuté votre relaxation par la prise de conscience des muscles et des bruits extérieurs, après avoir porté l'attention passive sur votre respiration, imaginez maintenant que la surface de votre peau représente une succession de collines et de vallées... que vos artères et vos veines sont des torrents et des rivières... que vos organes internes sont des temples... que vos cheveux sont des arbres... que l'œil droit représente le soleil et l'œil gauche la lune... Imaginez maintenant votre corps comme étant entièrement constitué d'énergie pure et lumineuse. A chaque inhalation imaginez la force de vie *(prâna)* pénétrer chaque cellule de votre corps et dispenser son énergie colorée selon l'ordre suivant :

Energie bleue - émeraude pour renforcer le *prâna* et vitaliser la respiration et la circulation sanguine (30 secondes).

Energie rouge pour vitaliser le système nerveux (30 secondes).

Energie orange pour vitaliser la digestion et l'assimilation (30 secondes).

Energie blanc bleuté pour fortifier les muscles et le squelette (30 secondes).

Energie rouge orangé pour fortifier les organes chargés des excrétions (vessie, intestins) (30 secondes).

Cessez ensuite la visualisation et reprenez doucement vos activités habituelles.

Cette vitalisation très efficace permet une recharge rapide du tonus général et un éveil des cinq sens. La méthode est basée sur les cinq fonctions principales du corps humain selon la conception de la médecine ayur-védique : *Prâna, Udana, Samana, Vyana, Apana.*

L'enseignement indien comporte aussi une véritable thérapie des émotions par la visualisation de couleurs au niveau du plexus solaire et du cœur. Un ancien texte attribué au grand yogi Shiva précise : « *Les émotions peuvent être domptées et participer à la tranquillité intérieure. Les différents sentiments et émotions sont reliés aux expériences de l'individu et agissent sur son équilibre physique. Les émotions sont reliées au monde des couleurs, des sons, des formes et des saisons. L'esprit fertile de l'homme est un jardin peuplé d'arbres de toutes sortes dont les émotions nourrissent des fruits doux ou amers. Par exemple il existe une classification cosmologique basée sur les émotions : le sentiment amoureux est relié au vert, l'humour au blanc, la compassion au gris, la colère au rouge sombre, l'héroïsme à l'orange, l'étonnement au jaune et le dégoût à un certain type de bleu... En visualisant ces sentiments accompagnés de leur couleur et en utilisant les méthodes traditionnelles de respiration, l'on peut consciemment canaliser et transformer ces émotions...* »

Ces textes anciens nous prouvent l'expérience accumulée des yogis qui connaissaient, bien avant l'invention du mot, le bon usage de la psychosomatique.

CHAPITRE IV

Le bilan de santé par les couleurs

1. Les couleurs reflètent nos variations d'énergie

Toute perturbation physique ou émotionnelle entraîne des variations biochimiques qui s'objectivent par le teint, l'éclat de la peau et certains signes précis (sur la langue et les yeux par exemple). Les médecines traditionnelles de l'Orient ont établi un système précis de décryptage des troubles de santé par l'observation de la modification de tous ces signes extérieurs et, en particulier, des variations de couleur des différents organes externes.

D'une façon plus subtile et plus difficile aussi, il est possible, selon les écrits anciens de l'Inde, de la Chine et du Tibet, de voir les couleurs du corps d'énergie que l'école théosophique nomme l'*aura humaine* ; cette étude fera l'objet d'un autre paragraphe.

2. Le bilan de santé par l'observation des couleurs sur le corps humain

Cette méthode fait partie intégrante du diagnostic chinois de l'énergie et de l'une de ses phases principales : l'observation.

D'après le *Nei King,* livre de base de l'acupuncture datant de plus de 2 000 années, les 5 organes principaux et vitaux du corps humain sont en étroite relation avec les 5 forces dynamiques de la nature (les 5 éléments) et avec 5 couleurs primordiales :

— Le **foie** est en rapport avec la couleur **verte** et l'élément **bois.**

— Le **cœur** est en rapport avec la couleur **rouge** et l'élément **feu.**

— La **rate** est en rapport avec la couleur **jaune** et l'élément **terre.**

— Les **poumons** sont en rapport avec la couleur **blanche** et l'élément **métal.**

— Les **reins** sont en rapport avec la couleur **noire** et l'élément **eau.**

La couleur de la peau varie selon l'état intérieur des organes ; citons le *Nei King : « le teint jaune orange ou rouge indique un trouble de blocage de l'énergie (affection yang). Le teint blanc indique un vide d'énergie et de sang (affection yin). Le teint vert sombre indique la douleur...* ».

Examinons l'une après l'autre les couleurs pathologiques du visage :

a) Le teint vert

La présence d'une teinte verdâtre est le signe d'une congestion de l'énergie **(chi)** et du sang causée par un refroidissement ou par des douleurs.

Si le teint est vraiment vert, il s'agit d'un épuisement du foie. Si la teinte s'assombrit, c'est un signe de gravité.

b) Le teint rouge

Si la rougeur du visage s'accompagne de fièvre intermittente, il s'agit d'un excès de chaleur à l'intérieur du corps. Il faut rafraîchir les organes internes.

Si le visage est rouge vif, il y a blocage de l'énergie positive **(yang)** à l'intérieur du corps. Il faut déclencher la transpiration.

Si le visage est empourpré et que les pieds et les mains sont froids, il y a déficience de l'énergie du cœur.

c) Le teint jaune

Une légère coloration jaune est normale. Par contre, une couleur de teint jaune soutenu indique la présence d'humidité à l'intérieur du corps (excès d'eau).

Si le teint est jaune sale, il s'agit d'un trouble de la rate (mauvaise assimilation).

d) Le teint blanc

Si le teint blanc est accompagné de maigreur, il s'agit d'un sang pauvre (anémie).

Si le teint blanc est accompagné de gonflement et de bouffissure, il y a vide d'énergie **(chi).**

Si le teint est blanc « comme l'os de seiche », les poumons sont épuisés.

Le teint blanc représente souvent la présence de déficience et de froid.

e) Le teint noir

Si le teint est très sombre comme le charbon, il y a épuisement de l'énergie héréditaire (fatigue grave et profonde). Le teint sombre représente un trouble et une fatigue des reins et en particulier l'épuisement de l'énergie positive **(yang).**

Il est possible d'affiner le bilan de santé en observant les couleurs des yeux et de la langue :

f) Couleurs des yeux (des conjonctives, le « blanc des yeux ») :

Yeux rouges : blocage d'énergie, chaleur, troubles du foie ou du cœur.
Yeux jaunes : risque d'ictère, trouble de la rate.
Yeux bleuâtres : troubles des poumons.
Yeux noirs : troubles des reins.
Yeux oranges : troubles dans la poitrine.
Yeux verts : troubles au niveau du foie.

g) Examen de la langue

Il faut distinguer la couleur de la langue de celle de l'enduit qui la recouvre. Examinons la langue uniquement à la lumière du jour.

Enduit blanchâtre : refroidissement.
Enduit jaunâtre : trouble plus profond, d'origine alimentaire ou émotionnelle.
Enduit gris ou noir : danger.
Langue rose pâle : cœur, rate, sang et énergie sont déficients (anémie).
Langue rouge sombre : feu (excès de **yang**) dans l'organisme, et en particulier dans le cœur, si le haut de la langue est de cette couleur.

Langue violette et terne : alcoolisme ou coup de froid violent.

Langue indigo et luisante : signe grave d'épuisement de l'énergie et du sang (du **yin** et du **yang**).

h) L'index des enfants

Un examen spécial de l'index permet de déceler les troubles chez les enfants de moins de quatre ans. Saisir l'index droit de l'enfant avec le pouce mouillé à l'eau froide. Frictionner les deux jointures : une coloration va alors apparaître sur l'une des trois phalanges :

Coloration normale : rouge et jaune (bonne santé).
Coloration rouge : excès de chaleur : fièvre, obstruction digestive, etc.
Coloration jaune : attaque de l'humidité et fatigue de la rate.
Coloration violette : chaleur.
Coloration noire : atteinte toxique.
Coloration bleue : atteinte du froid.
Coloration blanchâtre : vide de l'énergie **(yang).**

Si la première phalange se colore : peu grave.
Si la deuxième phalange se colore : assez grave.
Si la troisième phalange se colore : grave ou héréditaire.

3. Interpréter les couleurs du corps énergétique (aura)

L'école indienne du Tantra reconnaît que l'homme, en tant qu'âme *(jiva)* incarnée, est représenté par un halo d'énergie bleu lumineux et clair. L'état de méditation profonde *(nirvi-*

kalpa samadhi) est décrit par la plupart des yogis comme s'accompagnant de la vision de ce bleu lumineux. A un degré supérieur, chaque étage énergétique de l'homme s'accompagne d'une irradiation énergétique et l'ensemble de cette vibration compose une couleur personnelle indiquant l'état de santé et l'évolution de l'être incarné. Cette idée a été reprise par les chercheurs théosophes, et en particulier par Leadbeater.

Depuis, certaines recherches modernes semblent confirmer la validité d'une émanation énergétique du corps ou *aura* :

1) La photographie Kirlian permet de fixer un halo énergétique autour de l'homme vivant, et différentes interprétations pathologiques de la couleur et de la forme de ce halo sont avancées, en particulier par le docteur Thelma Moss.

L'aura dans la médecine →

Bien que la médecine orthodoxe ne reconnaisse pas l'existence de l'aura, un certain nombre de médecins ont cependant exploré cet aspect de l'être humain. L'un des premiers à le faire fut le docteur Walter Kilner, chef du service d'électrothérapie à l'hôpital Saint-Thomas de Londres. Il connaissait les textes théosophiques traitant de l'aura et du double éthérique. En 1908, il commença à employer des écrans de dicyamine pour rendre l'aura visible. Le filtre utilisé avait la vertu de rendre l'œil humain sensible à des vibrations normalement imperceptibles. Par ce moyen, Kilner put observer l'aura de ses patients. En 1911, il publia ses découvertes dans un ouvrage intitulé *l'Atmosphère humaine.* Il y déclarait que l'aura avait des composantes interne et externe qui se modifiaient en cas de maladie. Rien n'indiquait qu'il pût voir les chakras ; peut-être, à travers son filtre, ne discernait-il que l'aspect le plus grossier de l'aura. A l'évidence, les phénomènes observés étaient de nature physique, et n'avaient rien d'occulte. Récemment, le docteur John Pierrakos, directeur de l'Institut d'analyse bio-énergétique à New York, a pu observer directement les auras, sans l'aide d'écrans. Ses observations sont très proches de celles de Kilner, et lui aussi a entrepris de les intégrer à ses diagnostics. Un autre médecin en vue, le docteur Shafica Karagulla, travaille avec des personnes clairvoyantes qui peuvent discerner les champs auriques et les chakras. Il apparaît, au vu de leurs descriptions, que les altérations affectant les chakras et les corps subtils sont en relation directe avec les maladies notées dans le dossier médical des patients. Dans bien des cas, les voyants détectent dans l'écran les évolutions pathologiques avant leur manifestation physiologique.

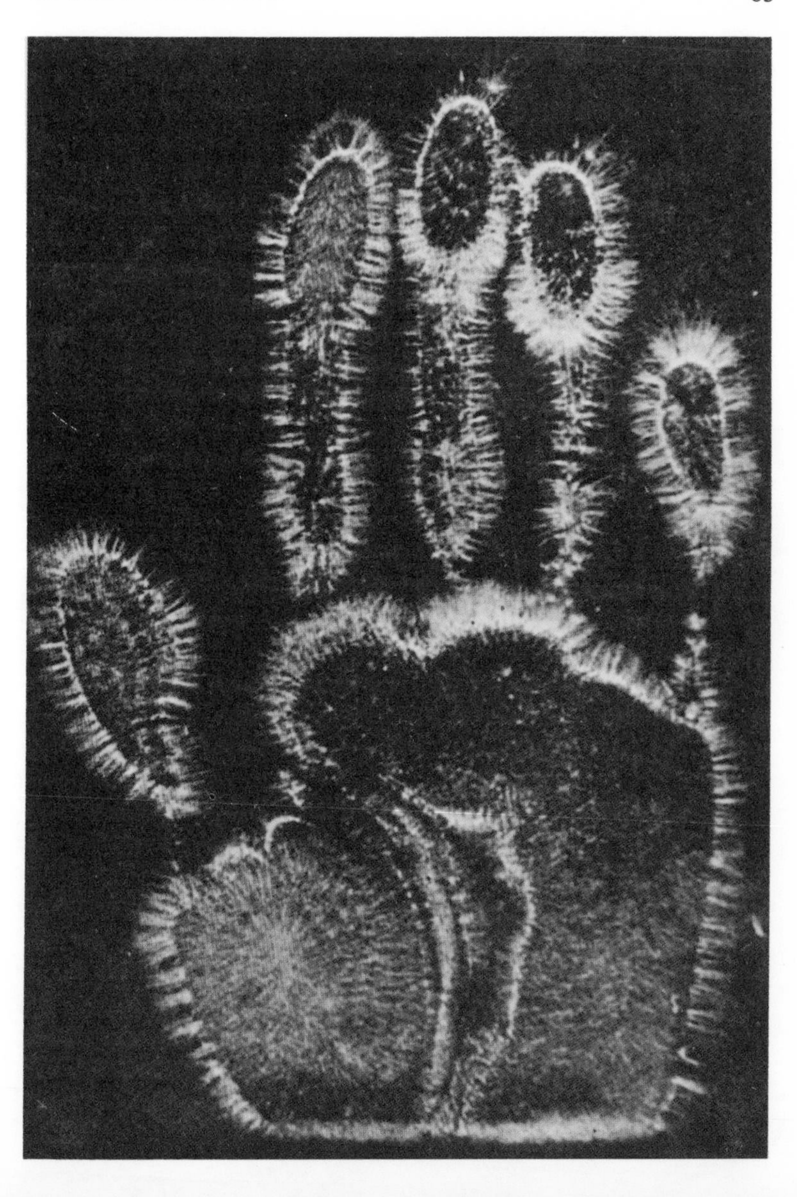

2) Des expériences officielles chinoises prouvent que des radiations plus fortes que le commun des mortels sont émises par les vieux pratiquants de ce yoga chinois de l'énergie appelé Chi Kung.

Comment donc lire les *auras* ? Il faut tout d'abord savoir que très peu d'individus sont capables de les voir dans des conditions habituelles de luminosité. Donc, si vous voulez voir les auras, il vous faudra observer un certain nombre de conditions décrites ci-après. D'autre part, nous ne devons pas oublier que nous avons notre propre rayonnement, et que nous ne voyons donc l'aura des autres qu'à travers une couleur personnelle qui déforme un peu la vision des auras. Les tableaux d'interprétation que nous vous donnons devront donc être réajustés selon votre expérience.

a) Comment essayer de voir les auras ?

S'isoler dans une pièce sombre plongée dans une demi-obscurité. Demandez à la personne de se placer à quatre mètres devant vous, devant un fond clair (écran, tapisserie claire, mur blanc).

Fixez le regard vers la tête de la personne étudiée et laissez cependant vos yeux regarder à l'infini sans tension. Essayez de ne pas fermer les yeux tout en évitant d'avoir le regard tendu et attendez... Au bout de quelques secondes, vous pourrez discerner comme un brouillard légèrement coloré se développant de 20 à 30 cm autour de la silhouette. Une autre aura, plus petite et plus brillante, peut être distinguée à quelques centimètres du corps.

L'interprétation des auras reste cependant difficile ; il existe une grande différence entre voir une simple brume autour du corps et distinguer nettement une couleur. Si le procédé ne convient pas sur fond clair, l'on doit essayer avec un fond obscur.

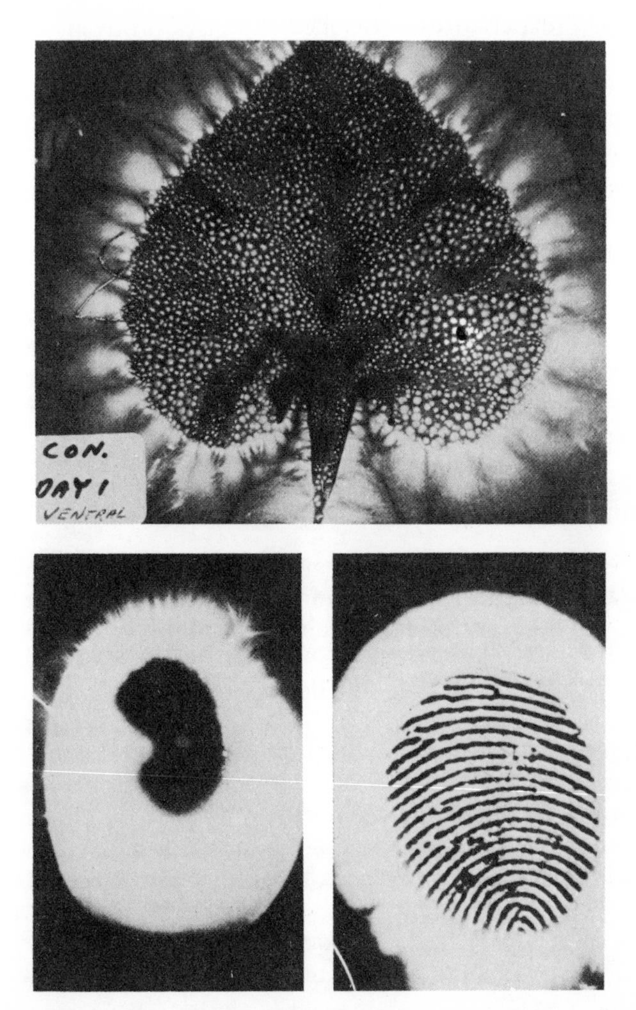

Clichés d'auras, extraits du livre de Thelma Moss : *The probability of Impossible* (Editions Tarcher, Los Angeles).

b) Les interprétations des auras

Voici les principales interprétations données par les yogis au sujet des auras :

— Couleur **rouge sombre :** colère, sensualité.
— Couleur **violet foncé :** déficience des nerfs et du cerveau.
— Couleur **bleu clair :** fatigue, sénilité.
— Couleur **blanche :** vitalité, force.
— Couleur **noire :** tristesse, neurasthénie.
— Couleur **incertaine :** intoxication, trouble de santé.
— Couleur **grise :** dépression.

4. La méthode de Eeman

La méthode de Eeman (1) est basée sur la visualisation de différentes couleurs. Si l'une des couleurs est perturbée, le sujet aura du mal à la visualiser et sa respiration deviendra irrégulière. Il faudra alors noter la couleur causant cette perturbation et traiter en irradiant la couleur complémentaire.

a) Procédure

— Etendre le sujet sur un divan.
— Le laisser se relaxer quelques minutes.
— Lui demander de visualiser tour à tour les sept couleurs fondamentales dans leur ordre décroissant du violet au rouge.
— Prendre 30 secondes de visualisation par couleur.
— Prendre note de la couleur qui perturbe le plus la respiration.

1. Homéopathe allemand du début du siècle.

— Noter aussi de quelle façon la respiration est modifiée (vers le haut, le bas, etc.).

— Traiter selon le processus normal de chromothérapie en irradiant avec la couleur complémentaire.

b) Interprétation

Le rapport couleurs/organes est le suivant :

TROUBLE	COULEUR	COULEUR DE TRAITEMENT
Os	Vert	Rouge
Cerveau	Violet	Indigo
Nerfs	Jaune	Violet
Circulation du sang	Bleu	Rouge
Cœur	Orange	Violet
Reins	Indigo	Rouge
Peau	Indigo	Rouge
Poumons	Jaune	Violet
Glandes endocrines	Violet	Orange

5. Les couleurs et la médecine ésotérique

La médecine ésotérique est issue des travaux des alchimistes et des astrologues du Moyen Age. A une époque où l'O.M.S. (Organisation mondiale pour la santé) a présenté plusieurs rapports favorables à la redécouverte des méthodes des guérisseurs et des « sorciers », cette médecine ésotérique ne peut être passée sous silence. En effet, les couleurs y ont joué un rôle important surtout par cette relation établie par l'astrologie médicale entre les plantes, les sons et les couleurs. Voici, ci-après, un tableau récapitulatif de ces relations.

CORRESPONDANCES ET ANALOGIES ENTRE PLANÈTES, COULEURS, SONS ET PARFUMS

PLANÈTES	COULEURS	SONS	PARFUMS
Soleil	Jaune-or	Mi	Héliothrope, hamamélis, citron.
Mars	Rouge vif (Bélier) Rouge sombre (Scorpion)	Ré	Absinthe, ail, menthe.
Saturne	Noir, marron	Si	Bruyère, fougère, pavot, pin.
Jupiter	Violet, bleu clair	Do	Benjoin, eucalyptus, giroflée, marjolaine.
Lune	Blanc, argent glauque	La	Camphre, iris, santal, nénuphar.
Mercure	Irisé gris (Gémeaux) Violet noir (Gémeaux) Vert et gris (Vierge)	Sol	Acacia, chèvrefeuille, genièvre, muguet, verveine.
Vénus	Vert jaune (Taureau) Rosé (Balance)	Fa	Cyclamen, jacinthe, lilas, lys, oranger, rose, violette.
Neptune	Bleu clair, violet	Mi bémol	Fougère.
Uranus	Noir mauve	Si bémol	Romarin.

Pluton	Inconnue	La bémol	Narcotile.
Proserpine	Inconnue	Ré bémol	Inconnu.
Vulcain	Inconnue	Sol bémol	Inconnu

Ces relations sont un trait commun entre les traditions d'Orient et d'Occident qui reconnaissent la **valeur curative des couleurs** associée au thème de naissance **(astrologie médicale)** et aux sons **(musicothérapie).**

Pour les alchimistes, la lumière se divisait en trois couleurs principales : le rouge, le bleu et le jaune qui sont les trois couleurs fondamentales correspondant respectivement à l'Esprit, à l'Ame et au Corps, au soufre, au mercure et au sel.

6. La méthode de Thimothy Ronalds (2)

Cette pratique enseignée par un jeune Anglais est une ancienne méthode taoïste. Au moment de se coucher lorsque la chambre est plongée dans l'obscurité et que la lumière est éteinte depuis une minute, il est possible d'observer, les yeux fermés, des taches lumineuses défilant devant les yeux. Voici l'interprétation qu'en donnaient les Chinois antiques :

Suite de couleurs jaunes agressives : risque de maladie infectieuse.

---

2. Ronalds est un jeune Anglais qui a fondé, voici maintenant quatre ans, une école du « Yoga des Rêves », en adaptant certaines anciennes techniques du yoga chinois *(Nei-King).*

Suite de couleurs rouges comme du sang : grande nervosité et activité intense.

Suite de cercles mauves : risque de maladie grave.

Suite de taches vertes : harmonie et stabilité nerveuse.

En fait, l'interprétation ne peut se faire que personnellement, avec l'expérience et le temps.

7. Le diagnostic par la radionique

La méthode de diagnostic par la radionique est un sujet peu connu en Europe, et elle a donné lieu à de nombreuses controverses et mauvaises interprétations outre-Atlantique.

Pourtant, deux grands chercheurs l'ont utilisée avec succès : les docteurs Abrams et De la Warr. Reprenons la définition précise du docteur William Tyler, physicien à la Stanford University : « *L'idée de base de la radionique est que chaque individu, organisme ou minéral, émet ou absorbe l'énergie selon un certain type d'ondes dont les caractéristiques sont personnelles (géométrie, fréquence, type de radiation)... plus évolué est l'individu, plus complexe est la forme d'émission...* »

Les appareils de radionique sont finalement des émetteurs de certains types d'ondes qui permettent, par un phénomène d'harmonie vibratoire proche de la radiesthésie, d'harmoniser les ondes personnelles du chercheur avec telle ou telle personne. Cet accord de sympathie réalisé, il est alors possible de chercher quelles sont les fréquences qui sont troublées chez le malade. La fréquence de vibration d'un organe particulier peut être évaluée d'une façon numérique. Si l'organe du patient ne correspond pas à un étalon déterminé, il y a trouble de l'organe.

Au début de ce siècle, le docteur Abrams, neurologiste de San Francisco, a développé les premiers principes de la radionique en constatant que, selon les problèmes de ses patients, un son différent était émis par l'abdomen lors de l'auscultation et de la percussion de celui-ci.

Abrams a pensé que les atomes de la zone troublée émettent un certain type de vibrations et que cette vibration pouvait servir à diagnostiquer le trouble de santé. Abrams utilisa alors une simple résistance électrique munie d'un condensateur et il chercha à mesurer les réponses obtenues avec ses sujets. Il fut aussi le premier à utiliser le diagnostic à distance en utilisant des buvards tachés d'une goutte de sang de ses patients. Ainsi naissait la radionique, que l'on nomma bientôt « radiesthésie électronique ».

De nombreux instruments modernes de radionique utilisent les vibrations du spectre coloré, en particulier pour le diagnostic mais aussi pour les traitements. L'explication du fonctionnement de ces appareils dépasse le cadre de ce manuel d'initiation ; le lecteur intéressé par la radionique pourra lire les ouvrages spécialisés des éditions Jacques Bersez (en vente dans les librairies spécialisées).

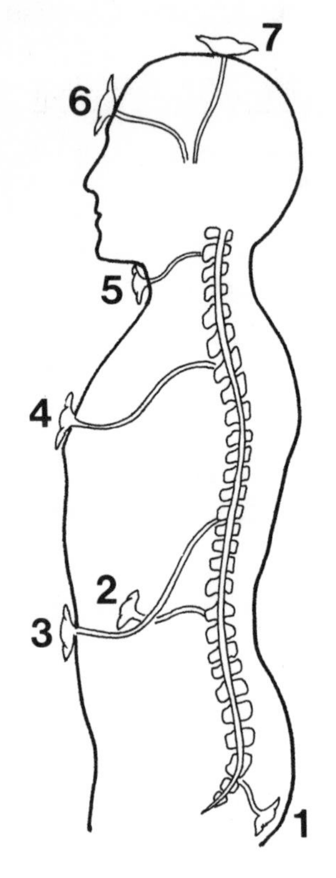

1 : chakra du coccyx
2 : chakra du nombril
3 : chakra du plexus solaire
4 : chakra du cœur
5 : chakra de la gorge
6 : chakra des yeux
7 : chakra de la tête

Rappel des emplacements des 7 chakras humains.

CHAPITRE V

Index thérapeutique

1. Le traitement par les couleurs

Pour ce traitement, l'on doit se constituer une lampe de chromothérapie (voir chapitre III) et des bouteilles teintées et agir :

a) Par voie externe

Par la projection de rayonnement coloré sur les zones indiquées (chakras ou centres d'énergie). Pour leur localisation, consulter les planches d'illustration sur les chakras.

1	**Muladhara chakra**	Centre énergétique du sacrum.	Découvrir le coccyx et le sacrum.
2	**Swadhistana chakra**	Centre énergétique de l'abdomen.	Découvrir l'abdomen du pubis au nombril.
3	**Manipura chakra**	Centre énergétique du plexus solaire et du nombril.	Découvrir le nombril et le plexus solaire.
4	**Anahata chakra**	Centre énergétique du plexus cardiaque.	Découvrir le thorax.

5	**Vishuda chakra**	Centre énergétique du plexus laryngé.	Découvrir la gorge.
6	**Ajna chakra**	Centre énergétique situé entre les sourcils.	Exposer la racine du nez.
7	**Sahasrara chakra**	Centre énergétique situé au sommet du crâne.	Exposer le sommet du crâne.

Le temps de traitement est en général indiqué. Les séances doivent être renouvelées toutes les deux heures dans les troubles aigus, et tous les deux jours dans les cas chroniques.

Pour se traiter, il suffit de suivre la procédure suivante :

— Fermer les volets et plonger la pièce dans l'obscurité.

— S'allonger sur un lit ou un divan.

— Découvrir la zone à traiter : dos, poitrine ou tête correspondant au chakra à traiter. Pour *Sahasrara chakra,* le haut du crâne doit faire face à la source lumineuse ; pour *Ajna chakra,* seule la tête est découverte. Pour les autres chakras, découvrir et exposer le dos sur une zone de 10 cm^2 environ ayant pour centre le chakra à traiter. Pour *Muladhara chakra,* découvrir les parties sexuelles en s'allongeant sur le ventre, les jambes dirigées vers la source lumineuse.

— La température de la pièce doit être agréable, ni trop chaude, ni trop fraîche.

— Allumer la lampe de chromothérapie ou le projecteur de diapositives. La distance de la lampe au patient doit être d'environ 2 à 3 mètres.

— Regarder quelques secondes, puis fermer les yeux en se détendant complètement.

— Visualiser la couleur de traitement comme s'intégrant à chaque respiration dans un bain d'air teinté.

— Se relaxer en plaçant sa conscience, sans tension, vers la zone traitée.

— Prendre encore deux minutes de repos après chaque traitement.

b) Par voie interne

Absorber l'eau solarisée par la même couleur que le traitement pendant toute la durée de celui-ci (2 à 3 verres par jour).

Voir le chapitre III, au paragraphe des bouteilles teintées.

Note relative à l'index thérapeutique :

Il faut traiter les zones indiquées **et** les chakras indiqués pour chaque affections.

2. Index thérapeutique

Alcoolisme : traiter la surface autour du nombril avec du rouge pour 10 minutes, et le front avec du bleu pour 15 minutes, une fois par jour dans les *cas aigus*. Utiliser la couleur citron dans les *cas chroniques* (*Anahata chakra* — plexus cardiaque — Violet).

Aménorrhée : traiter avec du bleu environ 10 minutes sur le sacrum, sur le bas-ventre (à gauche et à droite) et au niveau de la glande thyroïde, 2 fois par semaine (*Muladhara chakra* — plexus sacré — Bleu).

Anémie : traiter avec des bains de lumière rouge 10 minutes par jour, concentrer sur les dorsales durant 5 minutes ; boire un verre d'eau solarisée dans une bouteille rouge chaque jour (*Manipura chakra* — plexus solaire — Rouge).

Anorexie : traiter avec du bleu sous l'ombilic, 10 minutes environ.

Aphonie : traiter avec de l'indigo (lumière) sur la gorge pendant 5 minutes, répéter toutes les 4 heures ; boire un demi-verre d'eau solarisée dans une bouteille bleue toutes les 2 heures et se gargariser avec l'autre moitié (*Ajna chakra* — plexus caverneux — Bleu).

Appendicite : traiter avec du bleu ou du vert sur l'appendice, 20 minutes (*Manipura chakra* — plexus solaire — Bleu).

Arthrite : traiter la nuque (*Manipura chakra* — plexus solaire — Rouge).

Asthme : chez les adultes, rouge, jaune ou orange peuvent être utilisés. *Après une attaque*, utiliser l'orange. L'eau solarisée est également recommandée.

Dans les cas aigus, utiliser l'indigo ou le violet. Traiter 15 minutes sur la poitrine et le haut du dos (*Manipura chakra* — plexus solaire — Rouge).

Asthme cardiaque : traiter avec du rouge 10 minutes sur l'abdomen.

Asthme des enfants : utiliser du rouge sur le pancréas.

Auto-intoxication : traiter les intestins.

Bronchite - Pneumonie : *dans les cas aigus,* traiter avec de l'indigo, boire de l'eau solarisée à la lumière. Traiter le haut de la poitrine sur le sternum 10 minutes (*Ajna chakra* — plexus caverneux — Bleu).

Brûlures

— *Dues à la chaleur :* vibrations plus lentes que la lumière visible.

— *Dues à l'utilisation de radium, rayons X :* vibrations plus rapides que la lumière visible.

Le taux vibratoire, ou la fréquence d'oscillation de l'énergie responsable de la brûlure, est la clé de la thérapie par la couleur. Les brûlures causées par une chaleur excessive demandent un traitement à la couleur bleue. Utiliser ensuite le turquoise pour reconstituer les cellules de la peau. Couvrir la peau d'une petite couche d'huile de coco pour accélérer les résultats.

— *Brûlure causée par un froid trop intense :* utiliser la couleur rouge pour suppléer à la déficience de chaleur dont le corps a besoin (*Sahasrara chakra* — Vert).

Calculs biliaires : traiter à l'orange (lumière) sur l'abdomen (environ à 2 cm du nombril) pendant 15 minutes ; boire de l'eau orange solarisée (*Swadhistana chakra* — Orange).

Calculs rénaux : traiter avec de l'orange (lumière) pendant 15 minutes, et boire de l'eau solarisée (*Anahata chakra* — Orange).

Calvitie : traiter avec du bleu sur le cuir chevelu, 15 minutes chaque jour (*Anahata chakra* — plexus cardiaque — Violet).

Cataracte : traiter à l'indigo sur les yeux 10 minutes ; traiter les intestins (*Vishuda chakra* — plexus du larynx — Indigo).

Cécité : quand il n'y a pas de dommage organique, utiliser du vert pendant 30 minutes deux fois par jour ou du violet 30 minutes, sous la 5e vertèbre dorsale (*Vishuda chakra* — plexus du larynx — Indigo).

Choc : traiter au bleu (lumière) sur la 6e cervicale pendant 10 minutes et à l'indigo sur la poitrine pendant 20 minutes. Traiter les extrémités (*Ajna chakra* — Bleu).

Choléra : traiter avec du violet sur l'abdomen 30 minutes deux fois par jour (*Sahasrara chakra* — Vert).

Cœur : traiter avec du rouge pour *stimuler* le cœur ; traiter avec du bleu pour *calmer* le cœur.

— *Palpitations :* traiter avec du bleu sur le cœur et avec du rouge sur le plexus solaire, enfin avec du jaune sur l'abdomen.
— *Hypertension :* utiliser du bleu ou du vert.
— *Hypotension :* utiliser du rouge.

Commotion : traiter avec du violet sur la tête pendant 20 minutes (*Sahasrara chakra* — Vert).

Constipation : utiliser du jaune 10 minutes ; *en cas de diarrhée,* utiliser plutôt le vert ou le bleu. Boire un verre d'eau solarisée par jour. Surveiller son alimentation.

Contusions : traiter localement avec du magenta (*Sahasrara chakra* — Vert).

Convulsions : traiter avec du bleu dans la région de l'occiput 10 minutes (*Sahasrara chakra* — Vert).

Coup de froid : traiter avec du rouge s'il n'y a pas de fièvre ; utiliser de l'orange si le patient souffre d'hypertension. Vert sur la tête et bleu sur la poitrine s'il y a de la fièvre ou s'il y a inflammation (*Manipura chakra* — plexus solaire — Rouge).

Débilité : traiter à l'orange sur le front (*Anahata chakra* — Violet).

Démangeaisons : traiter avec du bleu sur la partie affectée pendant 10 minutes (*Vishuda chakra* — Bleu).

Dents (mal de) : traiter à la lumière bleue ou à l'eau solarisée sur la partie affectée (*Ajna chakra* — Bleu).

Désordres émotionnels : traiter avec la lumière bleue sur le front et les tempes durant 15 minutes.

Désordres des glandes endocrines : traiter avec du rouge à la base de la colonne vertébrale.

Désordres mentaux : traiter avec du violet.

Désordres nerveux : traiter avec du vert (*Anahata chakra* — Vert).

Diabète : traiter avec du jaune et du citron. Du citron sur le plexus solaire pendant 15 minutes suivi par du jaune, puis traiter le foie (*Vishuda chakra*).

Diarrhée : traiter avec une lumière bleue sur l'abdomen, 30 minutes. Un verre d'eau solarisée chaque jour (*Sahasrara chakra* — Vert).

Digestion difficile : traiter avec du jaune sur l'abdomen et du jaune en eau solarisée (sauf en cas de diarrhée et d'inflammation) (*Manipura chakra* — plexus solaire — Rouge).

Diphtérie : traiter à la lumière bleue sur le plexus solaire, la gorge et le bas de la nuque ; 30 minutes toutes les 4 heures (*Sahasrara chakra* — Vert).

Dos (douleurs) : traiter les intestins et la vésicule biliaire ; utiliser du vert sur le dos (*Muladhara chakra* — Bleu).

Eczéma : traiter à la lumière bleue sur la partie affectée pendant 10 minutes (*eczéma sec*). Pour l'*eczéma humide* traiter avec du magenta, un verre d'eau solarisée chaque jour (*Vishuda chakra* — Indigo).

Enurésie : traiter comme les désordres émotionnels. Mais traiter également la vessie (*Anahata chakra* — plexus cardiaque — Violet).

Epilepsie : traiter avec une lumière bleue sur la tête, la colonne vertébrale, le plexus solaire pour 30 minutes. Traiter l'abdomen pendant 5 minutes (voir à convulsions) (*Sahasrara chakra* — Vert).

Erysipèle : traiter avec le rouge pendant 10 minutes et le bleu pendant 15 minutes (*Sahasrara chakra* — Vert).

Fièvres : traiter à la lumière bleue sur le front et le dos, 15 minutes de chaque (*Sahasrara chakra* — Vert).

Fistule : traiter avec du bleu (lumière) pendant 10 minutes (*Vishuda chakra* — Indigo).

Flatulence : traiter avec du pourpre (lumière) sur l'abdomen pendant 15 minutes. L'eau solarisée peut être prise chaque jour (*Manipura chakra* — Rouge).

Frigidité : traiter au niveau du coccyx avec du bleu, pendant 15 minutes (*Muladhara chakra* — Indigo) ; boire de l'eau solarisée orange.

Furoncle - Abcès : traiter avec du citron sur l'abdomen juste sous le nombril et à quelques centimètres de la ligne médiane du corps (de chaque côté) durant une minute. Traiter avec de l'orange localement 30 minutes.

Quand il y a suppuration, utiliser du jaune sur les parties ouvertes. Enlever le cœur du bouton, puis utiliser du vert jusqu'à ce que le pus soit drainé. Utiliser du turquoise localement quelques minutes et terminer en utilisant de l'indigo (*Sahasrara chakra* — Vert).

Goitre : traiter à la lumière bleue sur la glande thyroïde 15 minutes chaque jour ; boire un verre d'eau solarisée chaque jour (*Ajna chakra* — Bleu).

Gonorrhée : traiter à la lumière bleue sur les lombaires et les organes génitaux pendant 45 minutes toutes les 2 ou 6 semaines. Tous les 3 jours, utiliser du vert à la place du bleu (*Muladhara chakra* — Violet).

Hémorroïdes : traiter à la lumière rouge sur la 5e cervicale pendant 10 minutes, et à la lumière bleue sur les lombaires et le sacrum pendant 10 minutes (*Muladhara chakra* — Jaune).

Hépatisme : traiter à la lumière bleue.

Hernie : traiter localement avec du bleu dans les *cas aigus* durant 15 minutes. Traiter avec du citron dans les *cas chroniques* pendant 20 minutes pendant 2 semaines. Puis, utiliser du turquoise.

Hydropisie : traiter à la lumière bleue sur la partie affectée (*Ajana chakra* — plexus caverneux — Bleu).

Inflammations des yeux : utiliser la lumière bleue pendant 15 minutes.

Pour la myopie, utiliser également du bleu.

Pour le strabisme, utiliser du jaune et terminer avec du bleu (*Vishuda chakra* — Indigo).

Lumbago : traiter à la lumière jaune sur l'abdomen pendant 15 minutes, puis traiter à la lumière bleue sur le bas du dos et le sacrum pendant 15 minutes (*Anahata chakra* — Violet).

Mastite : traiter sur les ovaires avec une lumière bleue pendant 5 minutes, sur les seins pendant 10 minutes, et entre les 5e et 6e dorsales pendant 10 minutes, sur le front et les tempes pendant 3 minutes de chaque (*Muladhara chakra* — Violet).

Mélancolie : traiter au rouge pendant une heure et demie (*Manipura chakra* — Rouge).

Méningite cérébro-spinale : traiter avec du violet sur toute la colonne vertébrale, 20 minutes (*Sahasrara chakra* — Vert).

Ménopause : traiter avec du bleu pendant 20 minutes sur les ovaires, avec du jaune pendant 10 minutes sur les reins et avec du vert pendant 10 minutes sur le front (*Sahasrara chakra* — Vert).

Nausée : traiter avec du bleu pendant 20 minutes sur la région abdominale (*Anahata chakra* — Bleu).

Nez

— *Si saignements :* traiter avec de l'indigo jusqu'à ce que cela cesse (*Sahasrara chakra* — Vert).

— *Autres troubles :* traiter à l'indigo (*Vishuda chakra* — Violet).

Trouble de l'odorat : traiter à l'indigo pendant 15 minutes (*Sahasrara chakra* — Vert).

Paralysie : traiter avec du jaune sur la nuque pendant 10 minutes, avec de l'indigo sur la colonne vertébrale, indigo sur le sacrum et le coccyx pendant 10 minutes ; traiter également chaque nerf sciatique avec du jaune et de l'indigo pendant 20 minutes (*Manipura chakra* — Rouge).

Paralysie faciale : traiter avec du jaune pendant 10 minutes, puis traiter au bleu pendant 10 minutes (*Manipura chakra* et plexus solaire — Rouge).

Maladie de Parkinson : traiter le système nerveux avec du bleu dans les *cas aigus* pendant 30 minutes, puis avec du violet sur le haut de la tête près de la fontanelle postérieure pendant 15 minutes.

Dans les *cas chroniques,* traiter avec du citron pendant 15 minutes, puis comme indiqué ci-dessus (*Vishuda chakra* — Indigo).

Pellicules : traiter à l'indigo sur le cuir chevelu pendant 10 minutes (*Vishuda chakra* — Indigo).

Pneumonie : traiter à l'indigo sur la poitrine pendant 30 minutes (*Vishuda chakra* — Indigo).

Poliomyélite : traiter à l'indigo pendant 30 minutes sur la colonne vertébrale. Répéter 3 fois par jour. Traiter le pancréas (*Sahasrara chakra* — Vert).

Mal de Pott : traiter à la lumière rouge sur le front et le dos pendant 20 minutes. Continuer avec une lumière bleue pendant 10 minutes (*Sahasrara chakra* — Vert).

Poumons : traiter à l'ultraviolet pendant 10 minutes (*Vishuda chakra* — Indigo).

Prostate : traiter à l'indigo sur la région prostatique, puis traiter la vessie (*Muladhara chakra* — Violet).

Rachitisme : traiter à l'ultraviolet sur la poitrine pendant 20 minutes (*Ajna chakra* — Bleu).

Rate : traiter avec du jaune sur la région de la rate pendant une heure et demie (*Manipura chakra* — Orange).

Règles stoppées : traiter avec de l'orange pendant 20 minutes (*Muladhara chakra* — Bleu).

Reins : traiter avec du bleu pendant 10 minutes, sur la région des reins, alterner avec de l'orange.

Si le trouble est *chronique,* traiter avec du citron (*Anahata chakra* — Violet).

Rhumatisme aigu : utiliser du bleu ou du vert en lumière et en eau solarisée, sur la partie affectée pendant 30 minutes.

En *cas de chronicité,* utiliser le citron et l'orange (*Anahata chakra* — Violet).

Rhumes

— *Pour les rhumes secs :* utiliser de l'indigo, de l'eau solarisée et la projection de lumière sur la poitrine.

— *Pour les rhumes humides :* traiter à l'orange (lumière et eau solarisée) (*Ajna chakra* — plexus caverneux — Bleu).

Rhume des foins : traiter avec du jaune (lumière) sur l'abdomen pendant 10 minutes, puis à la lumière bleue sur le visage et la poitrine pendant 20 minutes (*Sahasrara chakra* — Vert).

Rubéole : traiter au rouge et au jaune, puis utiliser du bleu sur le torse pendant 20 minutes (*Sahasrara chakra* — Vert).

Sang (problèmes) : traiter avec du rouge (*Manipura chakra* — plexus solaire — Rouge).

Sinusite : traiter au bleu pendant 10 minutes sur la troisième dorsale, puis vert sur la tête et bleu sur les sinus (*Sahasrara chakra* — Vert).

Stérilité : traiter à la base du sacrum avec de l'indigo pendant une heure et demie (*Muladhara chakra* — Bleu).

Surdité : traiter à l'indigo (lumière) sur le haut de la tête. Utiliser l'indigo sur la région de l'occiput pendant 10 minutes et également au niveau de la 5e dorsale pendant 5 minutes. De l'eau solarisée devra être prise 2 fois par semaine. S'il y a une origine émotionnelle, traiter à ce niveau (*Vishuda chakra* — Indigo).

Syphilis : traiter au vert et au bleu (lumière) sur la poitrine pendant 20 minutes chaque jour pendant plusieurs semaines. Puis utiliser du citron pendant plusieurs semaines. L'eau solarisée est indiquée (*Sahasrara chakra* — Vert).

Tétanos : traiter le système nerveux avec du violet pendant 30 minutes, 4 fois par jour (*Sahasrara chakra* — Vert).

Torticolis : traiter au bleu et au vert pendant 10 minutes à la 6e dorsale.

Tuberculose : traiter avec de l'orange sur la poitrine et le dos pendant 30 minutes, puis continuer avec du violet pendant 10 minutes.

S'il y a constipation, utiliser une lumière jaune sur l'abdomen, puis sur le front et les tempes, 3 minutes chaque. Le turquoise est recommandé pendant toute la période où la fièvre est présente. Si la fièvre augmente, utiliser du bleu (*Sahasrara chakra* — Vert).

Ulcère du duodénum : traiter à la lumière bleue sur l'abdomen pendant 30 minutes ; lumière bleue sur le front et les tempes pour 3 minutes de chaque côté. Eau solarisée, un verre par jour (*Sahasrara chakra* — Vert).

Ulcère gastrique : traiter avec du jaune (lumière) sur l'abdomen et le dos (bas) pendant 15 minutes pour chaque partie. Appliquer une lumière bleue sur le front et les tempes pendant 3 minutes (*Sahasrara chakra* — Vert).

Varicelle : traiter avec de l'ultraviolet sur le torse, 30 minutes de chaque côté (*Sahasrara chakra* — Vert).

Vésicule biliaire : traiter à l'orange pendant 10 minutes (*Swadhistana chakra* — plexus prostatique — Orange).

Vessie : traiter avec du bleu et ensuite avec du jaune dans le bas du dos, 10 minutes ; boire un verre d'eau solarisée bleue en cas d'incontinence ; utiliser des lumières vertes et pourpres (*Anahata chakra* — plexus cardiaque — Violet).

Vomissements de la femme enceinte : traiter à l'indigo ou au violet pendant 15 minutes chaque jour (*Ajna chakra* — Bleu).

ANNEXE I

Les chakras

La science traditionnelle de l'Etre en Inde a permis aux anciens sages *(rishis)* d'étudier très précisément le système interne des centres d'énergie : les *chakras*. Ces centres sont en rapport étroit avec la santé physique et mentale et l'évolution personnelle de l'homme (voir au chap. I les rapports entre les chakras et la santé).

Les chakras peuvent également être reliés à sept plans d'évolution de la conscience. A l'état normal, l'énergie *(shakti)* devrait circuler dans tous ces centres d'une manière harmonieuse et ininterrompue. L'énergie circule dans les sept chakras au cours d'un cycle de 24 heures (au lever, l'énergie se trouve dans le 3e chakra et, au coucher, dans le 7e), mais la plupart des individus présentent des blocages importants sur le trajet de cette énergie, créant ainsi une disparité entre l'état mental et l'état physique, d'où des troubles psychosomatiques puis des maladies.

Voici donc une étude plus détaillée des chakras et de leur relation avec nos états de conscience (selon la tradition tantrique de l'Inde). Il pourrait vous paraître évident d'associer aux chakras les ganglions, plexus et artères... cependant, tout comme pour les points d'acupuncture, les chakras sont des centres d'énergie relativement autonomes.

1. **Muladhara chakra :** en rapport avec la couleur jaune et l'élément Terre.

2. **Swadhistana chakra :** en rapport avec la couleur bleue et l'élément Eau.

3. **Manipura chakra :** en rapport avec la couleur grise et rouge et l'élément Feu.

4. **Anahata chakra :** en rapport avec la couleur verte et l'élément Air.

5. **Vishuda chakra :** en rapport avec la couleur violette.

6. **Ajna chakra :** en rapport avec la couleur bleue.

7. **Sahasrara chakra** (le « *suprême lotus blanc aux mille pétales* ») : en rapport avec la couleur blanche.

Cependant, ces digressions théoriques ne doivent pas faire oublier qu'en hygiène naturelle et même en méditation seule l'expérience compte. Bhagwan Shree Rajneesh, maître contemporain du tantra, le rappelle : « *Dans la méditation, le savoir livresque est inefficace, et la visualisation physique de la kundalini* (1) *n'a pas vraiment de sens. N'entendez pas par-là que la kundalini et les chakras soient irréels. La kundalini est réelle ainsi que les chakras, mais le savoir n'est nullement efficace... Il peut s'ériger en obstacle pour bien des raisons* (2). »

Chakra est un mot sanskrit qui signifie « roue ». Une roue d'énergie se situant près des centres importants du corps et proche des principaux plexus que les yogis de l'Inde ancienne découvrirent par perception directe. Dans les méthodes spirituelles du tantra et du yoga, les chakras représentent certains centres à éveiller progressivement ou brutalement selon les techniques. Mais, du point de vue de la science occidentale, que

---

1. *Kundalini :* canal emprunté par la force de vie le long des divers chakras.

2. Bhagwan Shree Rajneesh : *La Méditation dynamique* (Editions Dangles).

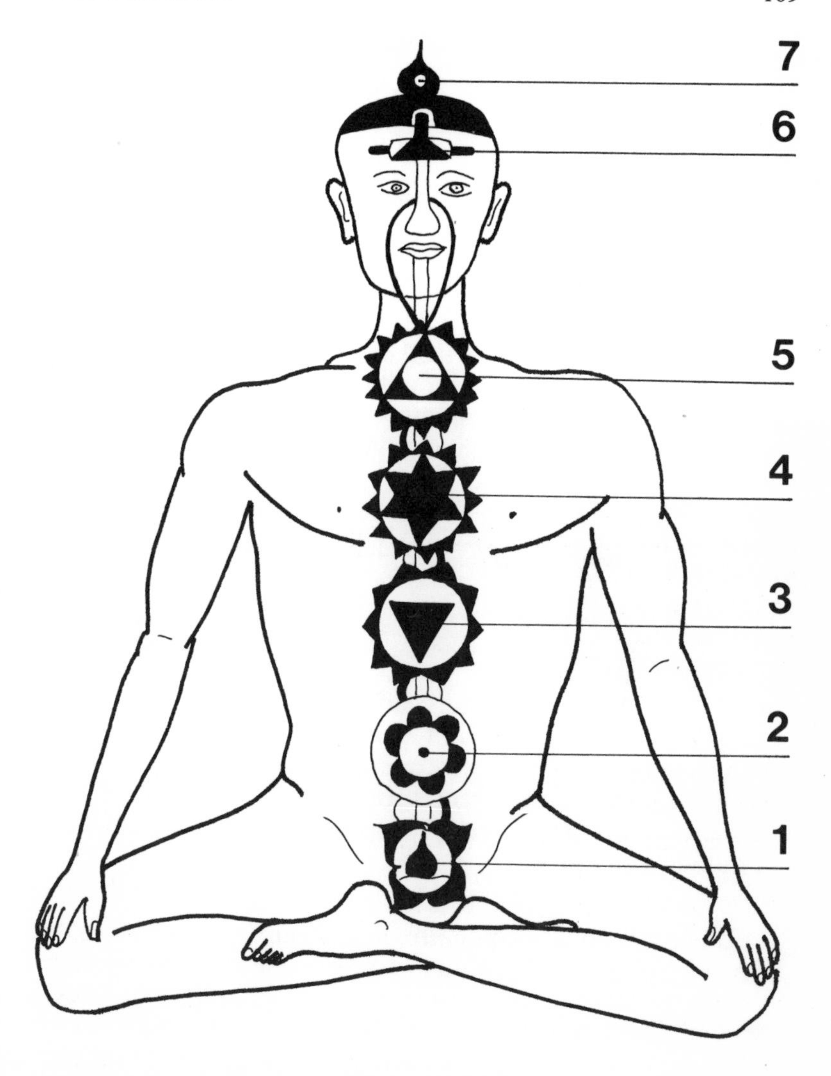
7
6
5
4
3
2
1

représentent les chakras et leur existence est-elle confirmée par les recherches actuelles ? Cette question nous semble très importante, car la plupart des méthodes de chromothérapie s'appuient plus ou moins explicitement sur l'existence du corps d'énergie et des chakras.

Trois chercheurs actuels, tous docteurs en médecine, se distinguent dans cette recherche du corps subtil : aux U.S.A. les docteurs Lee Sanella et W. Brught Joy (ce dernier est aussi un chirurgien réputé), et au Japon le docteur Motoyama. Le point de départ de leurs recherches fut l'hypothèse que l'existence du corps d'énergie s'articulant autour d'un axe vertébral est commun à de nombreuses traditions : chamanisme africain, Tibet, Mongolie, taoïsme chinois, etc. Il suffisait donc de vérifier si les exercices yogiques entraînaient des modifications biologiques mesurables.

Les expériences les plus concluantes furent réalisées avec l'appareil appelé électroencéphalographe, par le docteur Motoyama. Celui-ci découvrit que l'état de méditation sur la *kundalini* élève très sensiblement la longueur d'onde cérébrale de la zone 0 à 50 Hz (zone habituelle), à une bande comprise entre 350 et 500 Hz. Le savant américain Elmer Green a étudié le cas d'un grand yogi qui était capable de manifester les ondes accompagnant le sommeil profond (ondes delta et têta) tout en restant parfaitement conscient de ce qui se passait autour de lui, prouvant ainsi les modifications physiologiques consécutives à la pratique des yogas.

Une autre équipe japonaise, le docteur Kazuko Raya et le docteur Yoshio Manaka, a pu mettre en évidence les différentes polarités du corps humain appelées *Yin* et *Yang* dans la médecine traditionnelle chinoise, en étudiant à l'aide d'appareils sophistiqués les réactions électromagnétiques de la peau devant la douleur. Cette recherche met en évidence le phénomène des polarités dont le corps d'énergie est la manifestation selon les textes médicaux anciens de l'Inde et de la Chine.

La réticence des chercheurs à entamer des recherches sérieuses sur le corps d'énergie de l'homme a souvent eu pour cause le langage imagé et naïf employé dans les textes anciens. Le vieux traité indien *Shiva Samhita* nous en donne l'exemple : « *Dans ce corps appelé l'aura de Brahma, il y a la force lunaire à sa place juste, au sommet de la colonne vertébrale* (la polarité négative : yin) *; elle distille son nectar jour et nuit, celui-ci coule vers le bas. Ce nectar se divise en deux parties subtiles. L'une nourrit le corps, semblable à l'eau sacrée du Gange, et descend par le canal subtil du côté gauche. L'autre coule comme du lait frais dans le canal central de l'axe vertébral. Le soleil* (la force solaire positive : yang) *est situé au bas de l'axe vertébral. Du nombril, un canal subtil émane du côté droit et transporte le flux d'énergie positive vers le haut du corps, vitalisant les sécrétions* (hormones ?) *et conduisant l'homme à sa libération spirituelle... Dans le corps humain, il y a plusieurs centaines de milliers de canaux d'énergie subtile, mais les principaux sont au nombre de quatorze* (comparer avec les quatorze méridiens chinois). *Parmi eux, trois sont appelés majeurs : Ida à gauche de l'axe vertébral, Pingala à droite et Sushumna au centre. Tous les autres canaux sont soumis au fonctionnement de Sushumna* (le méridien gouverneur de la médecine chinoise). *Le canal Ida est relié à la narine.* »

Dans les différents textes de l'Orient, il existe parfois des différences dans la description des chakras ; par contre, tous les textes reconnaissent les trois canaux centraux. Ces divergences proviennent du fait que certains centres d'énergie sont considérés comme mineurs et éliminés de ces textes anciens.

A la page suivante, vous trouverez le tableau complet des associations physiologiques associées aux chakras en médecine traditionnelle indienne. Un extrait du *Kaula Tantra* explique bien la véritable nature du corps d'énergie et des chakras : « *Le corps d'énergie connecte ce monde avec le suivant. Il n'existe pas d'enseignement plus important que celui-ci pour atteindre la libération spirituelle et physique.* »

CHAKRA	PLEXUS	LOCALISATION	GLANDE ENDOCRINE	FORCE ÉNERGÉTIQUE
Muladhara	Pelvique	Périnée	Gonades	Passive (*tama*)
Swadhistana	Hypogastrique	Périnée	Gonades	Passive
Manipura	Solaire	Nombril	Surrénales	Harmonisée (*satva*)
Anahata	Cardiaque	Poitrine	Thymus	Harmonisée
Vishuda	Cervical	Cou	Thyroïde	Active (*raja*)
Ajna	Médullaire	Racine du nez	Pituitaire	Harmonisée
Sahasrara	Cérébral	Crâne	Pinéale	Harmonisée

ANNEXE II

La médecine ayur-védique

1. Les bases de l'ayur-véda

Les anciens chercheurs de l'Inde ont formulé deux systèmes d'un intérêt pratique évident : le yoga et l'ayur-véda. Le terme ayur-véda est composé de deux parties significatives (*ayur* et *véda*) qui peuvent être traduites par « connaissance de la vie ». La science de l'ayur-véda s'intéresse à la fois à la santé et à la maladie ; son but premier n'est pas de traiter tel ou tel symptôme, mais de renforcer les défenses naturelles du corps afin de prévenir la maladie. Ainsi, l'ayur-véda est, avec la médecine chinoise, l'un des plus anciens systèmes de médecine totale (ou hollistique). De plus, l'ayur-véda s'intéresse non seulement à la santé émotionnelle, mais également psychique et spirituelle de l'homme.

Les noms des fondateurs de cette méthode sont connus ; il s'agit de grands chercheurs réputés pour leur éveil spirituel : Vashistha, Angira, Samadagni, etc.

Plusieurs principes de base forment le plan de travail de l'école ayur-védique :

— L'esprit, l'âme et le corps forment les trois points de base de la vie.

— Trois forces principales s'expriment aussi dans le corps humain, les trois *doshas* : l'air *(vayu),* la bile *(pitta)* et la lymphe *(kapha),* ou phlegme.

Du point de vue énergétique, chaque individu est différent, et la biochimie du corps dépend de l'équilibre des trois *doshas.* Par exemple, un homme dominé par la dosha **air** aura une apparence, une façon de vivre et de penser d'un centre dominé par la dosha **bile**. Cette méthode de classer diverses constitutions se rapproche du système d'Hippocrate et du classement chinois selon les 5 éléments. Il y a donc, grossièrement, trois classes d'individus qui peuvent ensuite s'entremêler, car dans notre monde du relatif aucun classement ne peut prétendre être parfait :

2. Constitution Air *(vayu)*

Dort peu — Marche rapidement — Chevelure fine et légère — Esprit vif et parfois énervé — Pensées instables — Peur du froid — Epicurien — Aime les aliments sucrés, chauds et forts — Rêve de montagnes, d'arbres et de vol — Cheveux vite grisonnants — Corps long et fin — Tendance aux excès sexuels — Tendance à la constipation — Appétit capricieux — Peau de couleur jaune.

3. Constitution Phlegme *(kapha)*

Petit et fort — Esprit patient — Souvent silencieux — Transpire beaucoup — Dort longtemps et profondément — Rêve de la terre et de l'eau — Esprit rancunier — Méticuleux — Simple — Aime la nourriture aigre et astringente — Couleur de la peau : pâle en général.

4. Constitution Bile *(pitta)*

Taille moyenne — Esprit impatient — Transpire beaucoup — Tendance à la calvitie précoce — Bon appétit — Ambitieux — Se méfie des plats chauds et huileux — Ses yeux sont parfois un peu rouges — Aime le doux et l'amer ainsi que l'astringent — Aime les boissons froides — Nature très jalouse — Tendance à perdre rapidement la virilité — Rêves de feu, d'étoiles, du soleil et de la lune — Teint rose ou rouge — Les émotions l'étreignent souvent au ventre.

*

* *

En dehors de la constitution, les trois *doshas* varient suivant l'alimentation, le climat, les erreurs d'hygiène, les intoxications... Le but de la médecine ayur-védique est aussi d'équilibrer ces trois forces par différentes méthodes (aliments, plantes, respirations, etc.) dont voici un tableau synthétique :

THÉRAPEUTIQUES NATURELLES DE L'AYUR-VÉDA	
SANTARPANA Action tonifiante et nourrissante	**APATARPANA** Action sédative et désintoxicante
Aliments : — toniques ; — équilibre des 6 saveurs (*rasas*). **Respiration :** — stimulation du prâna ; — équilibre force solaire et lunaire (*hatha*). **Sommeil :** — récupération de l'énergie nerveuse. **Méditation :** — conservation et concentration de l'énergie (*trataka*).	— nettoyage du nez (*Nasya*) ; — purgations ; — diètes et jeûnes ; — lavements (intestins et estomac) ; — exercices d'assouplissement ; — massage à l'huile de moutarde.

ANNEXE III

Un chromothérapeute en activité

Poona, en 1981, est une ville active de l'Inde située au sud de Bombay, dont l'air tropical est rafraîchi par l'altitude et la végétation des collines qui l'entourent. Cette ville a vu sa renommée augmenter grâce à la présence de l'ashram de Baghwan Shree Rajneesh. Elle abrite de nombreuses écoles de yoga ainsi qu'une université de médecine ayur-védique.

C'est dans un quartier paisible, en retrait du centre agité, que consulte le docteur Balaji També, yogi et médecin traditionnel. Son centre « Atma Santulana » reçoit des élèves indiens et occidentaux, ainsi que de nombreux patients.

Agé d'une quarantaine d'années, le docteur Balaji També pratique et enseigne une méthode de thérapie globale basée sur un système cosmologique indien qu'il explique dans un langage imagé : « *Recommençons tout à zéro ! Imaginez simplement combien vous étiez à l'aise avant votre naissance. Vous étiez en réelle harmonie et en paix, en accord avec votre propre lumière, baigné de vibrations agréables. Puis le puzzle a commencé dès que vous êtes tombé sous l'empire du monde : le goût, les odeurs, le toucher, les sons et la lumière. Vous avez perdu l'accord avec votre être intérieur. La lumière est composée de sept nuances qui forment ensemble une clarté éblouissante. Les sons ont tendance à se mêler harmonieusement et il en résulte un son universel : « Nada Brahma », le son de l'univers. Chaque facette de la lumière, comme des sons, a sa propre qualité et sa propre valeur. Leur intégration conduit à l'harmonie et à l'extase. Tant que vous restez sur une seule de ces vibrations visuelles ou sonores, vous créez un état de disharmonie, qui comporte des troubles mentaux et physiques. Dans mon centre, vous apprenez à faire un effort pour vous aider à retrouver cette harmonie perdue. Vous trouverez la nuance colorée qui vous rendra lumineux et heureux, le son qui s'accorde avec votre propre ton. Les vibrations sonores et lumineuses ont complété la méditation depuis les temps antiques ; elles ont aussi complété les traitements traditionnels pour les troubles physiques et mentaux. La thérapie par les couleurs et les sons prend ses racines dans le yoga et la conception énergétique des chakras. Dans notre centre, la thérapie inclut :*

— Le traitement par les lampes colorées et la visualisation.
— L'écoute de compositions musicales et de sons particuliers (mantras).
— L'adjonction de parfums personnalisés, pour favoriser la respiration.
Avec cette thérapie, vous pouvez trouver votre propre accord et devenir votre propre maître. »

Dans le centre de Poona, les traitements-méditations se déroulent dans une pièce calme et aérée, en séances collectives ou individuelles. Les effets immédiats sont surprenants : sensation de bien-être, suspension naturelle de la respiration pendant plusieurs secondes, impression de transe. De nombreux patients bénéficient de soins gratuits et le docteur Balaji propose souvent des mélanges d'herbes et des huiles de massage appartenant à la médecine ayur-védique. De nombreux témoignages attestent l'efficacité de cette méthode qui est à la fois une thérapie et une technique d'évolution. Des résultats immédiats sont obtenus sur les diahrrées tropicales et les rhumes. Des résultats favorables aussi concernent des bronchites chroniques, des œdèmes, des faiblesses urinaires. Nous ne citons que les témoignages que nous avons recueillis dans un court laps de temps, mais d'autres témoignages concernent des troubles plus graves améliorés ou guéris par cette méthode douce.

C'est avec regret que nous avons quitté le centre du docteur Balaji També pour Bombay où nous avons pu rencontrer d'autres centres pratiquant ces méthodes naturelles au cœur de l'une des villes les plus difficiles de l'Inde. Les docteurs Garde et Gore doivent être mentionnés pour leur travail sur les sons répétitifs (mantras) et sur les compositions musicales de l'Inde et leur rapport avec les couleurs et la thérapie. En particulier, le docteur Gore signale dans son livre *Music has colours (La musique a ses couleurs)* que le *Raga Asvari* (une composition classique de l'Inde) a un effet stimulant sur les reins et que le *Raga Puriya* descend la pression sanguine dans la presque totalité des cas ! Ainsi, l'Inde, malgré son retard technologique immense, s'intéresse toujours à ces sciences traditionnelles et cherche à établir des validations scientifiques en vue de les développer efficacement.

ANNEXE IV

Les effets de la lumière naturelle et artificielle, d'après John Ott

« Je crois que nous devons connaître encore plus sur la lumière naturelle et la lumière artificielle et ce qu'elle produit sur nous, les plantes et sur les animaux de notre monde. La technologie moderne a rendu ces travaux nécessaires. » Ainsi s'exprime John N. Ott, directeur de l'Institut de recherche sur l'environnement et la lumière de Sarasota (Floride), introduisant ses travaux de pionnier qui peuvent être appelés « écologie de la lumière ».

« Comment devons-nous vivre ? demande-t-il. *Nous portons des lunettes. Nous regardons à travers les vitres de notre voiture. Nous regardons la télévision. Nous travaillons grâce aux lumières artificielles, souvent dans des immeubles où les fenêtres ne peuvent être ouvertes. Nous portons des lunettes de soleil. »*

Tous les aspects de la vie moderne sont des résultats du progrès technologique. John N. Ott travailla sur des expériences précises, afin de constater l'effet de ces facteurs sur notre bien-être mental et physique. Des expériences scientifiques explorent maintenant ces domaines inconnus et, en particulier, l'effet de ces lumières dans les cancers et sur les réactions hormonales, en particulier sur les glandes pinéale et pituitaire. Les travaux de John Ott sont maintenant entièrement reconnus aux U.S.A., ainsi que ses études sur la *photobiologie* qui le conduisirent de son petit studio de l'Illinois à l'Institut de Sarasota subventionné par le gouvernement américain.

« Vous êtes blanc comme un linge », « Elle est rouge comme une pivoine », etc. Chacune de ces phrases utilise les couleurs d'une manière figurative, reliant celles-ci à une situation physique ou émotionnelle précise.

Les travaux de Ott ont cherché à établir le rapport entre l'effet biologique des couleurs et le spectre solaire. D'un esprit scientifique, les couleurs entrent dans un système de mesure où leur longueur d'onde est l'unité de mesure. La longueur d'onde d'une couleur établit sa place dans le spectre lumineux, mais il existe aussi des parties du spectre que l'homme ne peut pas voir. Ainsi, les ultraviolets ont une longueur d'onde plus petite que les couleurs visibles du spectre ; à l'opposé se situent les rayons infrarouges. Ces expériences de Ott débutèrent sur le fait que les cellules vivantes (végétales) réagissent différemment selon les expositions à différentes couleurs du spectre. Grâce à la micro-photographie et à des filtres colorés, Ott réussit à altérer des schémas de comportement semblables lorsque la même couleur était utilisée.

Ott réussit à faire mouvoir les cellules dans différentes directions ou, au contraire, à les immobiliser. Il travailla ensuite sur les cellules animales et réussit, selon les couleurs, à augmenter leur activité métabolique ou, au contraire, à les tuer. Non seulement les couleurs avaient un effet physique sur ces cellules, mais elles modifiaient leur comportement sexuel et leur durée de vie. Ott en déduisit qu'il existait un lien inconnu entre les couleurs et leur effet (tant physique que psychique) sur les cellules des êtres vivants. Les réponses photobiologiques des cellules à des couleurs spécifiques furent étudiées, en particulier pour l'ultraviolet, le rouge, l'orange et le bleu. Ott s'aperçut que le rayonnement ultraviolet était nécessaire au développement des pommes, et que les serres expérimentales dont les vitres éliminent les rayons stoppent l'évolution de ces fruits ; en particulier, sans ce rayonnement vital, les pommes restent de couleur verte et ne rougissent pas. Une expérience étonnante, réalisée avec un biologiste, relança les travaux de Ott : des œufs de poissons exposés à la lumière rose d'un aquarium ne donnèrent que des femelles ! Ott avait établi que les modifications des longueurs d'ondes du spectre affectaient le phénomène de la photosynthèse sur les plantes ; mais comment expliquer l'effet sur les cellules animales ? L'explication résidait dans les réactions des glandes endocrines et de leur décharge d'hormones.

L'élevage industriel des poulets avait déjà prouvé que la lumière du jour, perçue par les yeux des poulets, stimulait la glande pituitaire et la production des œufs d'une façon sensible. La glande pituitaire est le maître d'œuvre de l'hormone dans la totalité du système hormonal, pas seulement chez les poulets mais aussi chez tout animal et chez l'homme. Ainsi, tout le système hormonal est influencé par les rayons pénétrant dans l'œil.

Les conséquences de cette hypothèse maintenant prouvée par Ott sont extraordinaires. Ainsi, tout l'environnement de l'homme (couleurs, lumières naturelles et artificielles) affectent son comportement ainsi que sa santé physique et mentale.

La découverte la plus importante de Ott se révéla lorsqu'il cassa ses lunettes et remarqua que son arthrite chronique se guérissait, en particulier lorsqu'il restait longtemps dehors sans protection devant les yeux.

Ces expériences menées sur des poulets, des chinchillas et des poissons prouvèrent rapidement que l'entrée de la lumière sur la rétine de ces animaux provoque une réaction biologique positive. Le docteur Jane Wright, du Centre de recherche sur le cancer de l'hôpital Bellevue de New York, s'associa à John Ott pour expérimenter les effets de l'exposition au soleil de quinze patients cancéreux sans lunettes de soleil (leur regard n'étant pas dirigé sur le soleil, mais sur l'environnement). La seconde observation de Ott concerna le développement du virus de la tomate lors des saisons très pluvieuses (faible taux d'ensoleillement) dans les régions de l'Ohio (U.S.A.) Ott en a déduit que le métabolisme des plantes était réduit par le manque d'énergie lumineuse et, qu'ainsi, elles devenaient plus sensibles aux maladies. Le métabolisme, ainsi que le « feu vital » des anciennes médecines taditionnelles et les aliments ne seraient que les combustibles brûlés par le métabolisme issu de l'énergie de la lumière. Nous trouvons ici un point de rapprochement avec la médecine chinoise qui explique que l'énergie du ciel (l'énergie yang) sert à brûler l'énergie nourricière issue de la terre (l'énergie yang de polarité yin).

Il fut difficile de tirer des conclusions définitives, mais pendant l'expérimentation quatorze patients virent leur état se stabiliser. Malheureusement, le scepticisme de certains milieux médicaux officiels empêcha les expériences de se développer réellement. Des travaux postérieurs, qui furent publiés à Oxford, prouvèrent que les déficiences de certaines couleurs (obtenues par l'intermédiaire de filtres) altéraient le mode d'évolution des plantes de la même façon que la déficience de certaines vitamines affecte la santé du corps humain. La réaction biologique de l'effet de la lumière sur la rétine de l'homme fut appelée par Ott, la *réaction photobiologique* ou *système hypothalamo-endocrine.* Des expériences préliminaires sur les souris montrèrent que le taux de cholestérol dans leur sang était plus élevé lorsqu'elles étaient soumises aux rayons d'une lampe fluorescente de couleur bleu sombre, que lorsqu'elles recevaient de la lumière rouge. Une tendance à l'obésité fut notée chez les souris de type mâle soumises aux rayons bleus. Ces conclusions montrèrent l'intérêt de développer les recherches dans tous les domaines de la biologie. Les expériences suivantes furent menées aussi sur des souris (1) ; on étudia l'influence des diffé-

1. Nous ne cautionnerons en aucun cas ces expériences sur des animaux. En effet, les expériences plus subjectives des yogis de l'Inde nous semblent plus saines, bien qu'elles ne puissent toujours pas être classées comme « intrinsèquement scientifiques ».

rentes sources de lumière et de couleur sur le développement spontané de tumeurs causées par le C_3H. Ces expériences montrèrent que la durée de vie de ces animaux augmente avec la largeur du spectre coloré utilisé, pour atteindre une durée maximum avec la lumière solaire.

Voir le tableau de cette étude page suivante.

Ainsi, Ott prouvait que la lumière solaire naturelle était d'un grand secours à l'homme d'aujourd'hui. Simultanément, les études des savants russes Dantzig, Lazarev et Sokolov prouvaient que la peau devait recevoir un minimum de radiations solaires sous peine de voir apparaître fatigue, déficience en vitamine D et persistance des troubles chroniques. Simultanément, la preuve fut apportée que l'exposition excessive aux rayons ultraviolets artificiels (lampes) pouvait être préjudiciable. L'accumulation de preuves scientifiques évidentes de l'effet biologique de la lumière et des couleurs sur la peau et à travers les yeux montre que l'étude de ces actions pourrait être intensifiée, en particulier dans le cadre de la recherche sur le cancer.

Ott préconise d'orienter les recherches de la façon suivante :

— Le port permanent et excessif des lunettes, et en particulier des lunettes de soleil, affecte-t-il la santé de l'homme ?

— Les vitres et les ouvertures des bâtiments publics et de travail laissent-elles passer assez de lumière solaire ?

— Quels sont les effets néfastes des lampes fluorescentes (néons) ?

— Quels sont les effets des filtres lumineux et des couleurs d'ambiance ?

— Quels sont les effets positifs de la lumière solaire sur les grandes maladies chroniques ?

— Quels sont les effets néfastes des radiations de la télévision ?

Un beau programme pour les chercheurs du nouvel âge !

INFLUENCES DES LONGUEURS D'ONDES DU SPECTRE SUR LA FORMATION DE TUMEURS SPONTANÉES CHEZ LES SOURIS INTOXIQUÉES AU C_3H

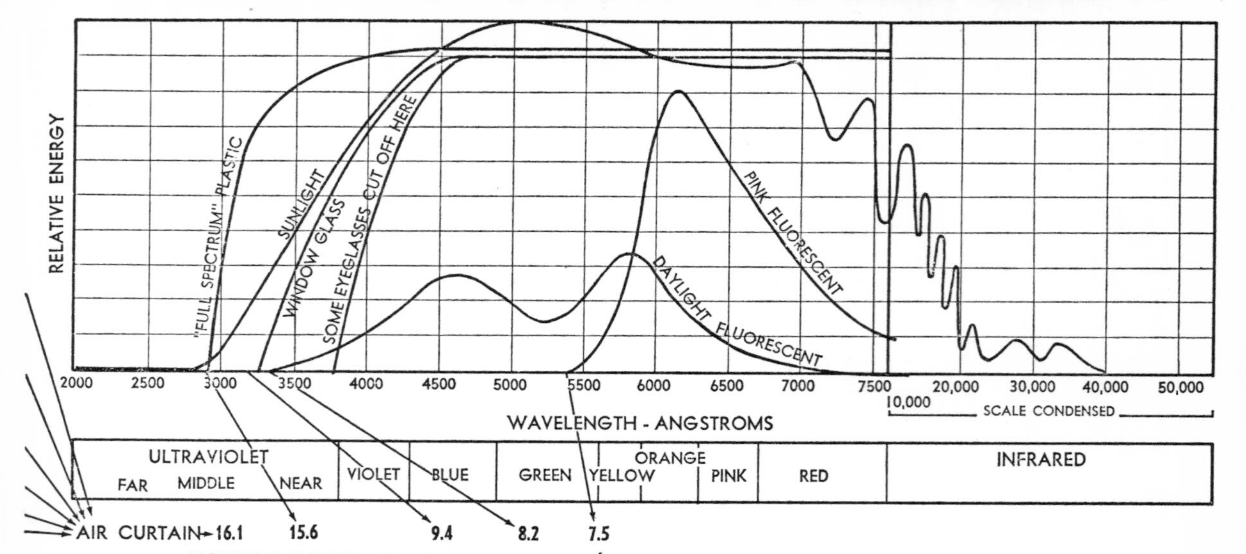

NOMBRE MOYEN DE MOIS DEPUIS LE DÉVELOPPEMENT SPONTANÉ DE LA TUMEUR JUSQU'A LA MORT.

Traductions :
Relative energy : énergie relative.
« Full spectrum » plastic : spectre complet.
Sunlight : lumière solaire.
Window glass : vitre de fenêtres.
Some eyeglasses cut off here : verres de lunettes.
Daylight fluorescent : fluorescence blanche.
Pink fluorescent : fluorescence rose.

LONGUEURS D'ONDES EN ANGSTROMS
Ultraviolets - Violet - Bleu - Vert - Jaune - Orange - Rose - Rouge - Infrarouges

ANNEXE V

Etude scientifique des chakras, d'après le docteur Motoyama

Le docteur Dolores Krieger, de l'université de New York, décrit en ces mots les recherches du docteur Motoyama : « *Le docteur Hiroshi Motoyama offre un modèle d'homme hollistique pratiquant les anciennes méthodes de santé de l'Inde et de la Chine.* » Pour la première fois un physicien, acupuncteur, ingénieur en électronique et yogi s'est penché d'une façon scientifique sur les enseignements indiens concernant la Kundalini et les roues de l'énergie ou Chakras. La méthode de chromothérapie décrite en détail dans ce livre vous a montré le rapport étroit entre les couleurs et les chakras. Le docteur Motoyama a établi, pour la première fois, des critères permettant de distinguer les troubles de santé et leur relation avec l'ancien système yogi de relations entre le corps et l'esprit.

Son institut de recherche siège dans la grande banlieue de Tokyo : une grande bâtisse noyée dans la verdure et les petits pavillons japonais. Plusieurs salles sont consacrées à différentes études : acupuncture, chakras... ; elles incluent le matériel électronique le plus moderne : E.E.G., ordinateurs, vidéoscope, cabine d'isolation psycho-sensorielle, etc.

Les travaux du docteur Motoyama commencent à déborder du cadre du Japon, et l'un de ses livres : *Science et évolution de la conscience* vient de paraître aux Etats-Unis.

Le docteur Motoyama a travaillé avec les plus grands yogis, tel Swami Satyananda (Bihar School of yoga). Son but était de prouver scientifiquement la réalité des schémas de la circulation de l'énergie dans les deux modèles proposés par la culture indienne (système des chakras ou centres d'énergie) et la culture chinoise (système des méridiens d'acupuncture). Les deux modèles se sont développés indépendamment l'un de l'autre, bien qu'ayant de nombreux points d'affinité et proposant tous deux un système sophistiqué de relations entre les aspects physiques et mentaux de notre être.

L'organisme humain y est considéré comme relié directement au reste de l'univers à travers l'échange éternel entre l'énergie et la conscience. Pour la médecine indienne et les méthodes d'expansion de la conscience (yoga), l'énergie se répartit dans quatorze canaux subtils principaux, les *nadis,* tout comme l'énergie vitale appelée *chi* coule dans les quatorze grands méridiens de l'acupuncture chinoise. Dans les deux concepts (indien et chinois), cette énergie existe comme un lien entre les aspects physique, physiologique et psychologique de l'être. La théorie du docteur Motoyama est que le système chinois des méridiens et le système indien des nadis sont identiques, la circulation de l'énergie se situant au niveau des tissus conjonctifs. Les recherches primaires de Motoyama cherchèrent à vérifier scientifiquement l'existence du système des chakras et des nadis ainsi que leur localisation. Motoyama nota que cette localisation suivait assez étroitement le trajet du système nerveux autonome. Le grand nadi central, la *sushumna* (voir l'annexe I sur les chakras), suit exactement le trajet de la moelle épinière et les deux canaux parallèles : *ida* et *pinga* qui suivent le trajet du système sympathique ; chaque chakra semble ainsi avoir un rapport étroit avec la localisation des plexus nerveux.

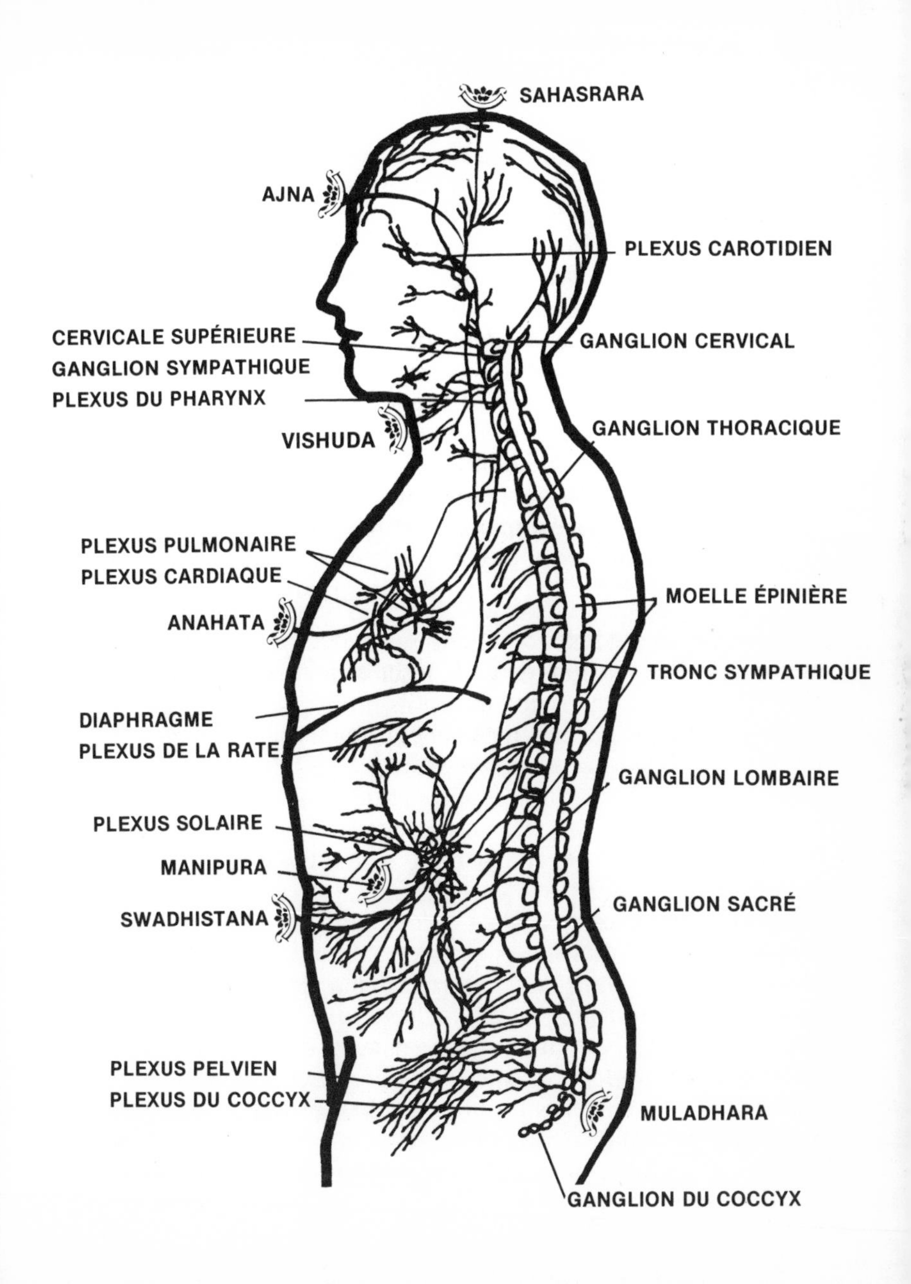
SAHASRARA
AJNA
PLEXUS CAROTIDIEN
CERVICALE SUPÉRIEURE
GANGLION SYMPATHIQUE
GANGLION CERVICAL
PLEXUS DU PHARYNX
VISHUDA
GANGLION THORACIQUE
PLEXUS PULMONAIRE
PLEXUS CARDIAQUE
MOELLE ÉPINIÈRE
ANAHATA
TRONC SYMPATHIQUE
DIAPHRAGME
PLEXUS DE LA RATE
GANGLION LOMBAIRE
PLEXUS SOLAIRE
MANIPURA
GANGLION SACRÉ
SWADHISTANA
PLEXUS PELVIEN
PLEXUS DU COCCYX
MULADHARA
GANGLION DU COCCYX

Compte tenu de ces correspondances, Motoyama décida de procéder aux premières expérimentations basées sur l'hypothèse suivante : « *Si les altérations de conscience sont, ainsi que l'affirment les yogis, en étroite relation avec les chakras, et ceux-ci en relation avec le système nerveux, alors ceux qui prétendent pouvoir atteindre l'unification spirituelle (yogis) doivent montrer des états d'altération dans le fonctionnement de leur système nerveux.* » Il s'agissait de vérifier si les changements d'états de conscience affectaient le système nerveux autonome.

Cette recherche fut conduite sur une période de quinze années. Dans l'une de ces expériences, Motoyama étudia les rapports entre les symptômes chroniques de soixante personnes classées selon trois groupes d'après le classement *a priori* subjectif de la médecine traditionnelle de l'Inde :

— **Groupe A :** les sujets donnent des signes de fonctionnement au niveau du chakra du cœur et semblent être doués de perceptions subtiles (E.S.P.).

— **Groupe B :** les sujets fonctionnent au niveau des deux chakras inférieurs et semblent doués de quelques facultés (P.K.).

— **Groupe C :** ne présentent aucune trace d'évolution au niveau des chakras. « *Monsieur tout le monde* ».

Les sujets remplirent des fiches sur lesquelles ils indiquèrent leurs symptômes chroniques les plus courants. Les groupes A et B se distinguèrent nettement par leur abondance de symptômes concernant le système nerveux autonome. En particulier, le groupe A montra un grand degré d'anormalité dans le fonctionnement des systèmes digestif, circulatoire et génital considérés comme reliés aux rois chakras inférieurs d'après la médecine indienne. Ainsi, l'hypothèse d'une relation entre les chakras et les fonctions organiques correspondantes semblait se vérifier.

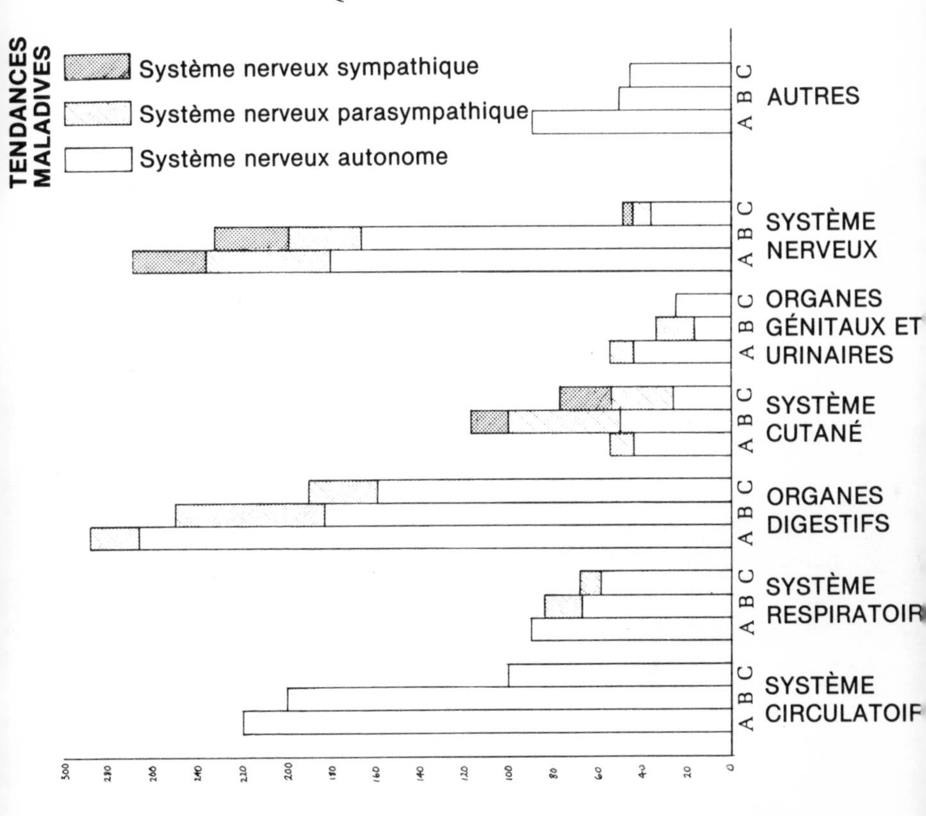

Une seconde expérience utilisa une série de tests faisant appel à un dermomètre (appareil de stimulation électrique et de mesure de résistance de la peau). Les sujets du groupe A montrèrent des réactions à prédominance parasympathique ; ceux du groupe B montrèrent une dominante du système sympathique et ceux du groupe C restèrent équilibrés. Motoyama inventa ensuite un appareil capable de mesurer les différences de potentiel au niveau de la peau, sans contact cutané. Il l'utilisa pour montrer les différentes réactions entre les sujets ne ressentant aucun « éveil » psycho-sensoriel. Les résultats montrèrent une grande différence de réaction entre les sujets du groupe A et ceux du groupe C. Un nouvel appareil, l'A.M.I., permit à Motoyama de nouvelles mesures des réactions cutanées, et d'obtenir les réactions suivantes au niveau des chakras contrôlés par des yogis :

Diagramme de l'appareil permettant de mesurer l'énergie vitale extériorisée par les chakras

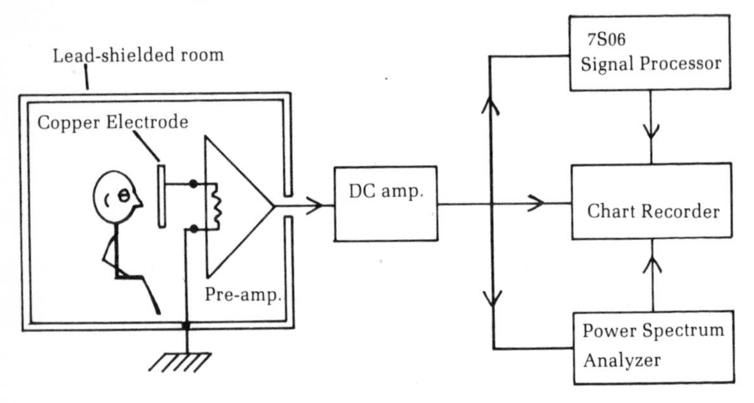

Diagramme d'un chakra éveillé et contrôlé

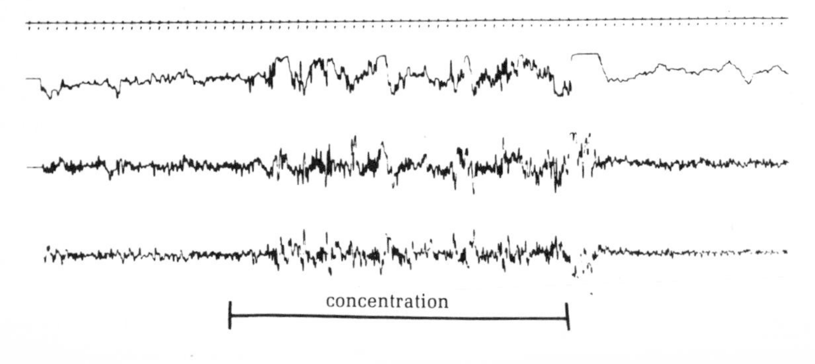

Diagramme d'un chakra éveillé mais non encore contrôlé

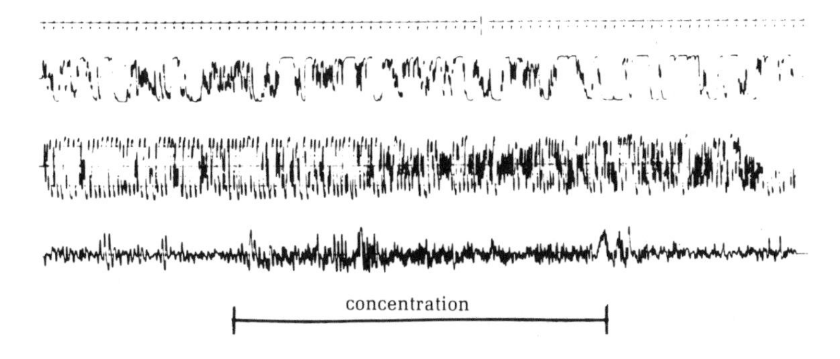

Motoyama examina plus de 5 000 personnes selon sa classification tripartite. Certains résultats émergèrent rapidement : lorsqu'un chakra est « éveillé » par les méthodes des yogis, une certaine anomalie affecte les zones en relation avec le plexus nerveux correspondant au chakra. En particulier, ces anomalies sont dues à un excès d'énergie mesurable à la terminaison des méridiens d'acupuncture sur les mains et les pieds.

Motoyama dégagea en particulier deux types de réactions pathologiques liées à l'évolution de conscience de certains sujets :

— Le type du groupe A caractérisé par des troubles des méridiens de la rate et de l'estomac reliés au chakra *Manipura.*

— Le type du groupe B affecté de troubles des méridiens du rein, de la vessie et du méridien du maître du cœur.

Dans les deux groupes, le méridien des « trois foyers » était affecté par un excès d'énergie. Les travaux du docteur Motoyama se poursuivent en ouvrant de nouveaux espaces de contact entre la science et les anciens arts traditionnels de santé ; ils sont d'un intérêt considérable pour la validation des anciennes méthodes telles que l'acupuncture, la chromothérapie, la yogathérapie et toutes les méthodes traditionnelles. Les conclusions des travaux de Motoyama affermissent les bases scientifiques de ces sciences antiques :

— Confirmation de l'existence des chakras.

— Confirmation de l'existence des canaux d'énergie.

— Validation de la possibilité de maîtriser l'énergie interne par des méthodes psycho-sensorielles adéquates.

— Etroit rapport entre le psychisme de l'homme et sa santé physique.

— Relation entre certains déplacements vertébraux et l'évolution de la conscience le long des chakras.

— Apparition de troubles légers affectant certains systèmes déterminés lors de l'évolution des chakras.

— Importance de la conscience et de l'évolution de conscience dans le domaine de la santé conduisant à une conception hollistique, c'est-à-dire totale de la santé et de la prévention des maladies.

— Importance des méthodes douces telle la chromothérapie dans la régulation des énergies subtiles, encore inconnues de la science actuelle.

Bibliographie

Harish Johari : *Dawantarix* (Ram Press, Oakland).
Dr Garde : *Yogathérapie* (Taraporevala, Bombay).
Dr Mac Naughton : *Vibrations* (Rider, Londres).
R.-B. Amber : *Colour Therapy* (Firma, Calcutta).
Swami Satyananda : *Dynamics of Yoga* (Bihar School of Yoga).
Brugh Joy : *Joy's Way* (Tarcher, Los Angeles).
Hector Melin : *Le Secret des couleurs* (1940, chez l'auteur, épuisé).
John Ott : *Health and Light* (Devin Adair, Connecticut).
Lee Sannella : *Kundalini* (Dakin, San Francisco).
Nick Douglas Penny Slinger : *The Art of Ecstasy* (Destiny Books, New York).
Bhagwan Shree Rajneesh : *La Méditation dynamique* (Editions Dangles).
Bhagwan Shree Rajneesh : *L'Eveil à la Conscience cosmique* (Editions Dangles).
René-Lucien Rousseau : *Le Langage des Couleurs* (Editions Dangles).
Dr Albert Leprince : *Couleurs et Métaux qui guérissent* (épuisé).
Dr Motoyama : *Science and evolution of consciensness* (Autumn Press, U.S.A.).

Et les livres classiques suivants, dans leurs traductions anglaises : *Nei King — Shiva Samhita — Atharva Véda — Ayur-véda.*

Table des matières

La composition et l'impression
de cet ouvrage ont été réalisées
par CLERC S.A.
18200 SAINT-AMAND - Tél. : 48-96-41-50
pour le compte des ÉDITIONS DANGLES
18, rue Lavoisier - 45800 ST-JEAN-DE-BRAYE

Dépôt légal Éditeur n° 1520 - Imprimeur n° 4140

Achevé d'imprimer en Août 1989

Dans la même collection :

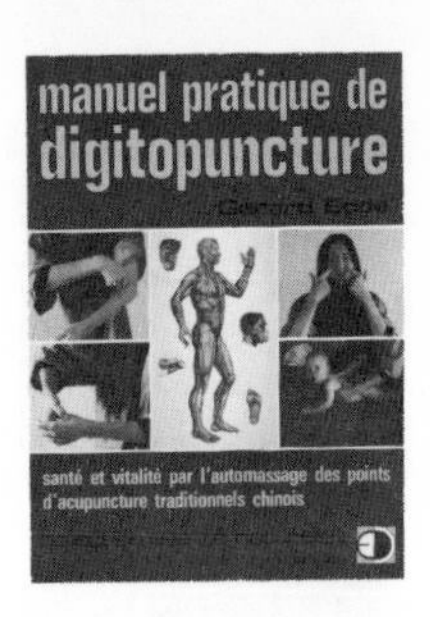

GÉRARD EDDE
MANUEL PRATIQUE DE DIGITOPUNCTURE

Santé et vitalité par l'automassage des points d'acupuncture traditionnels chinois.

Format 13,5 × 18 ; 160 p. ; très illustré (documents inédits).

Les 14 grands méridiens, base de l'acupuncture, constituent de véritables canalisations de l'énergie vitale et sont reliés aux principaux organes. Cette interrelation — maintenant largement démontrée et utilisée — explique que, par exemple, en pressant certains points du pied on puisse tonifier et réguler un organe aussi distant que le foie.
Depuis 3 000 ans, les Chinois ont été les premiers à démontrer l'efficacité de cette **thérapeutique simple et à la portée de chacun.** L'auteur, **qui a été puiser directement aux sources,** nous apporte ici un recueil de documents inédits venant de Chine populaire, et une **série de traitements particulièrement efficaces,** s'appuyant sur des points peu connus en Occident, entre autres pour :
- — fortifier tout l'organisme et les fonctions vitales ;
- — combattre les affections respiratoires et stimuler les poumons ;
- — vaincre les douleurs, favoriser la digestion ;
- — stimuler les reins, la sexualité et guérir les troubles génitaux ;
- — calmer les nerfs, favoriser le sommeil et la relaxation ;
- — résoudre nombre de problèmes spécifiquement féminins ;
- — pour la beauté et l'esthétique (rides, peau, cheveux, poids, seins...) ;
- — l'application aux jeunes enfants (absolument inédit) ;
- — les points d'urgence (asphyxie, crampes, morsures, évanouissement, etc.).

De plus, les **3 façons précises de presser avec les doigts** (tonification, harmonisation, dispersion) sont enfin très clairement décrites ; ce sont celles utilisées en Chine et dont les bienfaits sont largement reconnus et prouvés par des rapports médicaux officiels.
Un guide pratique et sûr qui restera un compagnon fidèle de la trousse naturopathique familiale.

EXTRAIT DE LA TABLE DES MATIÈRES :

Chap. I : **Comment appliquer la digitopuncture ?** Les 5 règles d'or - Quels points choisir ? - L'harmonisation, la tonification, la dispersion - La durée - Comment localiser les points ? Chap. II : **Combattre les infections et stimuler les poumons** - Rhume, mal de gorge, bronchite, nez bouché, pneumonie, asthme. Chap. III : **Stimuler tout l'organisme** - Augmenter la vitalité, chasser la fatigue - Favoriser la longévité - Stimuler l'esprit. Chap. IV : **Combattre les douleurs** - Rhumatismes, lumbago, épaules douloureuses et engourdies, sciatique, genoux, douleurs à la nuque, maux de tête et de dents. Chap. V : **Stimuler les reins et la sexualité** - Troubles du système urinaire - Stimuler la sexualité masculine - Infections génitales. Chap. VI : **Pour fortifier la digestion** - Mauvaise digestion chronique, vomissements, foie fatigué, constipation, diarrhée. Chap. VII : **Les problèmes des femmes** - Règles douloureuses - Infections des organes génitaux - Vomissements durant la grossesse - Problèmes féminins. Chap. VIII : **Points spéciaux pour jeunes enfants et nourrissons** - Le massage des bébés et des jeunes enfants - Les centres d'énergie spéciaux des enfants - Convulsions, infections, fièvres, toux, diarrhée, vomissements, pipi au lit. Chap. IX : **Calmer les nerfs et harmoniser le sommeil** - Irritabilité, insomnie, dépression nerveuse. Chap. X : **Pour la beauté** - Le massage d'esthétique - Rides, cheveux, éclat de la peau, perte de poids, seins - Utilisation des huiles essentielles - Les bains - Varices et mauvaise circulation - Substances végétales pour le bain. Annexe : **Les points d'urgence** - Asphyxie, brûlures, crampe, hémorragie, évanouissement, fortes fièvres, insolation, empoisonnement, morsures, noyade, saignements de nez.

Dans la même collection :

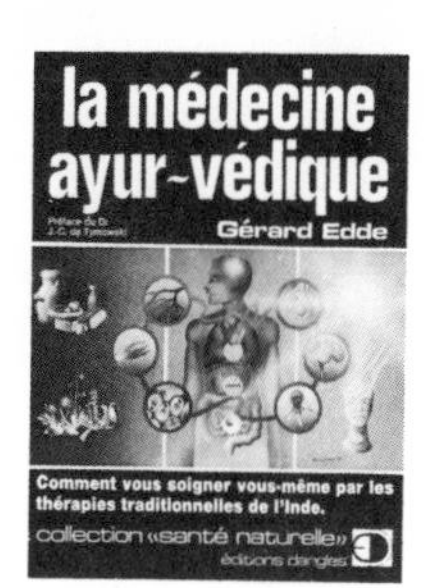

Gérard EDDE :

LA MÉDECINE AYUR-VÉDIQUE. Comment vous soigner vous-même par les thérapies traditionnelles de l'Inde.

Format 13,5 × 18 ; 192 pages ; illustré.

L'Ayur-Veda est le système complet de la médecine millénaire de l'Inde, dont le yoga, la relaxation et la méditation font également partie. Cette science (ou sagesse) antique est toujours pratiquée en Inde, tant en médecine privée et familiale qu'en hôpitaux et en cliniques, et se révèle d'une efficacité remarquable. L'Occident commence seulement à la découvrir et s'y intéresse de très près.

La doctrine médicale indienne est fondée sur le fait que **chaque individu relève d'une constitution** (ou humeur) **dominante** : bile *(pitta),* flegme *(kapha)* ou vent *(vayu),* chaque tempérament induisant certaines prédispositions aux maladies, certaines réactions, certains comportements organiques.

Ce livre vous apprend à déterminer **votre propre constitution** et vous découvrirez ainsi quels sont les facteurs susceptibles d'affecter le plus votre santé, les symptômes, les maladies et les troubles les plus fréquents ainsi que les traitements naturels les mieux adaptés.

Ensuite, ce livre pratique vous indiquera en détail les thérapies indiennes (préventives et curatives) les plus appropriées : diététique, jeûne, cures d'aliments, oléation (administration interne et externe d'huiles végétales), sudation *(swedan),* clystère (nettoyage de l'intestin), cure de lavements *(vasti),* traitement nasal *(nasya),* vomification, cure de rajeunissement *(rasayana),* automassage tonique à l'huile (avec recettes traditionnelles d'huiles de massage).

Enfin, un **lexique thérapeutique de 37 affections courantes** (angine, asthme, bronchite, diarrhées, hémorroïdes, indigestion, insomnie, maux de tête, maladies de la peau, obésité, rhumatismes, troubles génitaux...) vous indiquera, pour chaque maladie et en fonction de votre constitution de base, les thérapies ayur-védiques à mettre en œuvre.

Au-delà de l'aspect purement physiologique, l'Ayur-Veda, par l'application de ses lois essentielles sur la santé mentale, constitue également une véritable « science de la vie ».

EXTRAIT DE LA TABLE DES MATIÈRES :

Dans la même collection :

Gérard EDDE :

GINSENG ET PLANTES TONIQUES

Ail, éleuthérocoque, poivre noir, angélique chinoise, thé, armoise, cannelle, gingembre, épices... et autres plantes toniques chinoises (propriétés stimulantes et thérapeutiques).

Format 13,5 × 18 ; 160 pages ; illustré.

— La racine de ginseng (surnommée la « racine de vie ») fascine les hommes depuis des millénaires ; elle a la réputation d'être la panacée et de guérir tous les maux.
— L'ail, le poivre noir, la cannelle, le gingembre, le thé chinois sont parés de mille et une vertus thérapeutiques.
— On parle beaucoup des cures revitalisantes à base d'éleuthérocoque sibérien ou de pantocrin (extrait de cornes de cerfs).
Qu'en est-il réellement ? La médecine traditionnelle chinoise fait beaucoup appel à la phytothérapie, et nombre d'études scientifiques et cliniques récentes (tant en Chine qu'aux U.S.A. ou en U.R.S.S.) confirment les effets bienfaisants, toniques et stimulants de toutes ces formules millénaires d'herboristerie chinoise.
L'auteur, spécialisé dans l'étude des médecines orientales, est allé à plusieurs reprises sur les lieux mêmes de production de ces plantes, en Chine, a consulté de nombreux médecins et chercheurs et nous restitue ici, d'une manière pratique, l'essentiel de cet enseignement traditionnel dont nous avons beaucoup à apprendre.
Voici enfin un manuel pratique qui révèle les grands principes de la méthode chinoise de régénération par les plantes. Nombre de compositions de tisanes (pour diverses affections) sont indiquées, ainsi que des remèdes de tradition populaire, des conseils pratiques. Comment suivre une cure de revitalisation ? Où trouver les plantes toniques, comment les choisir et les préparer ? Comment est constituée la fameuse « boisson de longue vie » ? Comment pratiquer la moxibustion ? Quels sont les autres épices toniques à notre disposition (coriandre, camphre, clous de girofle, réglisse, racine de lotus, sésame, safran...) ? Et bien d'autres questions encore.
Un index thérapeutique termine ce guide pratique qui nous propose une « autre » médecine dont l'audience croît de jour en jour en Europe.